FOTO PARLANTI

Vittoria Tettamanti
Stefania Talini

immagini, lingua e cultura

livello intermedio

Bonacci editore

Per le fotografie si ringraziano gli studenti della
Syracuse University di Firenze:

unità	fotografo
1	Linda Ferrante
2	Elizabeth X. Kligge
3	Gregory J. Christensen
4	Jaime M. Ross
5	Jessica Levee
6	Nisa Mason
7	Benjamin Lamora
8	Michelle Hulme
9	Mark Heyman
10	Douglas St. John
11	James A. Fausto Jr.
12	Margaret M. Jackson
13	Alexis Greenberg
14	Holloway Constantine
15	Tori Duggins
16	Nisa Mason

Il progetto del libro e lo sviluppo dei testi è di
Vittoria Tettamanti.
Il materiale fotografico è a cura di Stefania
Talini.

Progettazione grafica: internozero

Illustrazioni di Ruth Valencia

1/1 1ª ristampa della 1ª edizione

Bonacci editore
Via Paolo Mercuri, 8
00193 ROMA (Italia)
tel:(++39) 06.68.30.00.04
fax:(++39) 06.68.80.63.82
e-mail: info@bonacci.it
http://www.bonacci.it

Printed in Italy
© Bonacci editore, Roma 2003
ISBN 88-7573-380-5

indice

legenda dei simboli

 attività orale

 attività scritta

 roleplay

 attività orale di coppia

 discussione,
tavola rotonda

prefazione

L'uso dell'immagine nella glottodidattica non è certo una novità. Fin dalla preistoria le immagini sono servite d'ausilio nella comunicazione e nella trasmissione di informazioni. Dalle pitture e dai disegni che si trovano su pareti di caverne, ai geroglifici egiziani e ideogrammi cinesi, fino all'uso dei moderni sussidi audiovisivi, l'uomo ha sempre rappresentato la realtà attraverso immagini. Ciò non ci sorprende affatto dato che la vista è il più forte dei cinque sensi ed è la nostra principale fonte di informazioni sul mondo circostante.

Già nel '600 il filosofo Comenio – Jan Amos Komensky, "padre" della glottodidattica moderna – sottolineò l'importanza dell'immagine nella glottodidattica. Ed infatti fu il primo a scrivere un libro illustrato per ragazzi.

Come hanno dimostrato Clifford T. Morgan e Richard A. King, la maggior parte delle persone – se non tutte – hanno esperienza di immagini e queste aiutano spesso a pensare. Alcuni individui hanno una mente così potente da ricordare quasi perfettamente tutto ciò che percepiscono. Tale fenomeno, detto comunemente "memoria fotografica" viene definito dagli specialisti "immaginazione eidetica".

Convinti che l'immagine può essere usata come stimolo per la conversazione e la discussione, abbiamo utilizzato foto umoristiche, drammatiche, culturali che servono a incoraggiare lo studente a parlare nella lingua in apprendimento.

Foto parlanti continua la tradizione dell'importanza e dello sfruttamento dell'immagine nella glottodidattica e offre una veduta della lingua e della cultura in apprendimento con lo sguardo dello studente che "scopre" un nuovo modo di pensare e di agire.

Anthony Mollica
Professore ordinario di glottodidattica
Brock University
St. Catharines, Ontario (Canada)

introduzione

Foto Parlanti nasce dall'esigenza di "fare parlare" gli studenti, uno degli assilli di noi insegnanti di lingua straniera.

Immagini dell'Italia, colte dagli occhi attenti e curiosi di studenti stranieri, offrono lo spunto per ampliare il vocabolario, sviluppare le competenze comunicative e riflettere sulla cultura. Nel testo si parte da una fotografia in bianco e nero a cui segue una scheda di lavoro così organizzata:

Per attivare il lessico, in cui vengono proposte attività mirate all'arricchimento lessicale utilizzando varie strategie.

Per parlare un po', in cui si cerca di fare cogliere allo studente gli elementi descrittivi attraverso una serie di domande.

Tocca a te! Usa la fantasia, in cui si cerca di stimolare la creatività dello studente per formulare delle ipotesi, dare una interpretazione personale dell'immagine e coglierne i diversi significati. Oltre a domande, vengono proposte delle attività orali e scritte che mirano al conseguimento di tali obiettivi e al riutilizzo creativo della lingua.

Idee a confronto, in cui vengono dati degli spunti per una riflessione sugli aspetti culturali attraverso curiosità, paragoni, ricerche, presentazioni e discussioni.

Vittoria Tettamanti
Docente di lingua italiana
Syracuse University in Florence

Foto parlanti è un libro composto da una selezione di immagini in bianco e nero scattate dagli studenti del corso di fotografia della Syracuse University a Firenze.

Le fotografie pubblicate in questo libro rappresentano un'Italia vista e fotografata da stranieri che l'hanno vissuta durante il loro soggiorno di studio e ne hanno colto aspetti diversi quali la famiglia, la vita sociale, la politica, le tradizioni.

Questo progetto ha permesso loro di indagare nella vita quotidiana degli italiani riportandone una visione meno convenzionale, come un loro diario di vita italiana.

Stefania Talini
Docente di fotografia
Syracuse University in Florence

Le autrici ringraziano sentitamente il professor Anthony Mollica che con i suoi studi e le sue pubblicazioni (tra le quali si ricorda in particolare *Una immagine vale 1000 parole*) è stato maestro e fonte di ispirazione.

Un ringraziamento particolare va infine a Donatella Costantini e Benedetta Gasperini della Syracuse University in Florence e Imperatrice Di Passio della Georgetown University.

Questo è il mio piccolo mondo

foto di Linda Ferrante

per attivare il lessico

1. Nella foto che fra poco vedrai c'è un computer. Conosci le parole che si usano parlando di computer? Scrivile negli spazi appropriati, scegliendole tra quelle elencate qui di seguito.

**lo schermo • la tastiera • il mouse • la stampante
il lettore cd • il tappetino per il mouse**

2. Sei lo studente A? Hai due minuti per scrivere il maggior numero di parole collegate alla foto. Sei lo studente B? Scrivi le parole che lo studente A dice.

_____   _____

_____   _____

_____   _____

_____   _____

3. Confrontate le parole trovate con quelle della lista seguente:

libri, dispense, fogli, cellulare, cassette, bigliettini, lampada da tavolo, scrivania, gatto, foto, coperte, cuscini, mensola.

4. Conosci il significato di queste tre parole della lista?
Collega le parole della colonna A con la definizione appropriata della colonna B.

Scrivania   è un fascicolo, un insieme di fogli che contiene appunti.

Mensola   è un mobile, di solito con cassetti, destinato
a lavori di ufficio o ad attività di studio o scrittura.

Dispensa   è un ripiano orizzontale attaccato alla parete
su cui si mettono libri e oggetti di vario genere.

per parlare un po'

5. Se sei lo studente A descrivi la foto allo studente B.
Cerca di usare tutte le parole che hai trovato e quelle della lista.
Devi essere il più preciso e accurato possibile perché lo studente B non ha visto la foto
e la ricostruzione dipende dalla tua descrizione.

Se sei lo studente B disegna oppure scrivi la descrizione della foto che lo studente A ti fa.
Cerca di fare molte domande allo studente A per chiarire tutti i punti.

Ora confrontate la foto "vera" con quella "ricostruita".

tocca a te! usa la fantasia

- **Dai un altro titolo alla foto e motiva la tua scelta.**
- **Chi ha fatto la foto e perché?**
- **Secondo te, di chi è questa scrivania?**
- **La persona di che cosa si interessa? Motiva la tua risposta.**
- **Questa scrivania ti sembra ordinata o disordinata?**
- **Che cosa sta facendo il gatto? Come ti sembra la sua espressione?**
- **Secondo te è normale trovarlo sulla scrivania?**

idee a confronto

Nella foto è rappresentato il "piccolo mondo" di un ragazzo o di una ragazza:

il gatto, il computer, il cellulare, i libri, la musica.

Nel tuo "piccolo mondo" che cosa c'è?

Di solito dove studi? Dove riesci a concentrarti meglio?

Come è la tua scrivania? Descrivila.

il computer

Nella tua famiglia avete un computer? Chi lo usa di più?
Tu per che cosa lo utilizzi maggiormente (posta elettronica, giochi, navigare in Internet, scrivere)?
Pensi che potresti farne a meno?
Quali sono i vantaggi e gli svantaggi del computer?

gli animali domestici

 Hai un animale in casa?
Se la risposta è no: vorresti averne uno? Sei contento di non averne? Perché?

tu da che parte stai?

6. Leggi attentamente le affermazioni.

- Fanno compagnia e aiutano a vincere la solitudine.
- Sporcano le città.
- Rendono le persone più altruiste.
- Limitano la libertà dei proprietari.
- Aiutano i bambini a crescere più sereni, sicuri e forti.
- Non sono igienici perché possono trasmettere malattie.
- Fanno fare nuove conoscenze.
- Lasciano un cattivo odore nelle case dove vivono.
- È provato che esercitano influssi positivi sulla salute fisica e psichica delle persone.
- Vengono spesso abbandonati.

Cerca nella classe gli studenti che hanno le tue stesse opinioni e formate dei gruppi.

Avete 10/15 minuti di tempo per discutere insieme ed elaborare una serie di pro e contro.
Ogni gruppo deve presentare e sostenere il proprio punto di vista.
La discussione è libera. Sedetevi in cerchio e intervenite liberamente.
Se necessario, potete chiedere aiuto all'insegnante.

Tutti
a tavola!

per attivare il lessico

1. Sottolinea tutto quello che vedi rappresentato nella foto. Se non conosci il significato delle parole elencate aiutati con il dizionario, con un compagno o con il tuo insegnante di italiano.

piatto	sedia	minestrone	spaghetti
lavastoviglie	cucchiaio	saliera	verdura
pane	coltello	grattugia	tovagliolo
frigorifero	parmigiano	fornello	lavello
oliera	quadro	risotto	tavolo
bicchiere	forchetta	carne	bottiglia
forno	frutta	tovaglia	divano

2. Ora scrivi le parole dell'elenco negli spazi appropriati.

cibo	arredamento	sulla tavola apparecchiata

per parlare un po'

3. Descrivi la foto. Le domande possono aiutarti.

- Chi vedi nella foto?
- Chi sono? Che fanno?
- Dove è la donna? Secondo te perché non è seduta con la famiglia?
- Che ora è? Motiva la tua risposta.
- Come sono vestiti? Il bambino sembra in pigiama. Perché?

tocca a te! usa la fantasia

- Dai un altro titolo alla foto e motiva la tua scelta.
- Chi ha fatto la foto e perché?
- Chi sono le due ragazze?
- Che tipo di persona è la donna?
- E il bambino?
- Motiva le tue risposte.

4. *A chi riferiresti questi aggettivi? Segna con una X.*

	mamma	papà	bambino	nessuno
severo/a	○	○	○	○
bravo/a in cucina	○	○	○	○
diligente	○	○	○	○
monello/a	○	○	○	○
cordiale	○	○	○	○
affettuoso/a	○	○	○	○
autoritario/a	○	○	○	○
vivace	○	○	○	○
buffo/a	○	○	○	○
instancabile	○	○	○	○
arrabbiato/a	○	○	○	○

5. Role play.
Immaginate la conversazione tra le due ragazze, i genitori e il figlio a tavola.
Scrivete il dialogo e poi drammatizzatelo.

idee a confronto

Nel tuo paese si potrebbe fare una foto simile? Motiva la tua risposta.
In che cosa sarebbe diversa?

Il pranzo e la cena sono due momenti molto importanti nella vita degli italiani.
E nel tuo paese? Nella tua famiglia avete l'abitudine di cenare insieme?

Che cosa sai delle abitudini alimentari degli italiani? L'illustrazione qui in basso può aiutarti.

colazione

burro   miele   marmellata   pane   fette biscottate   biscotti

caffellatte   caffè   tè

lo **spuntino** è quando si mangia qualcosa tra un pasto e l'altro o in sostituzione del pranzo o della cena.

pranzo

antipasti:
salumi affettati, verdure sottolio o sottaceto   ***primo piatto:*** pastasciutta   ***secondo piatto:*** carne, pesce

contorno:
verdure, crude o cotte   ***dessert:*** gelato, torta   ***frutta:*** fresca di stagione   pane   caffè

cena

la **merenda** è un piccolo pasto del pomeriggio, molto amato dai bambini e dai ragazzi.
Può essere dolce (pane e marmellata, nutella, biscotti, dolci, merendine), o salata (pane con prosciutto, salame, formaggio, focaccia).

primo piatto:
minestra con brodo, zuppa di verdure

secondo piatto:
uova o formaggio   ***contorno:*** verdure, cotte o crude   ***frutta:*** fresca di stagione   pane   caffè

6. *Quali sono le maggiori differenze tra le abitudini alimentari in Italia e nel tuo paese?*
Prova a elencarle e poi confronta le tue risposte con quelle dei compagni.

in Italia	nel mio paese

Che cosa ti piace e che cosa non ti piace di queste abitudini?

no, questo non si fa!

7. *L'educazione a tavola: in Italia e nel tuo paese le regole sono le stesse?*
Scrivi accanto a ogni situazione se nel tuo paese è: educato, maleducato, insolito o comune e poi discutine con i tuoi compagni.

	educato	maleducato	insolito	comune
Parlare con la bocca piena	○	○	○	○
Ruttare dopo il pasto	○	○	○	○
Legare il tovagliolo al collo	○	○	○	○
Fumare durante il pasto	○	○	○	○
Rispondere al telefono	○	○	○	○
Dire "buon appetito" prima di iniziare a mangiare	○	○	○	○
Soffiare se il cibo è troppo caldo	○	○	○	○
Appoggiare i gomiti sul tavolo	○	○	○	○
Tenere la mano sotto il tavolo	○	○	○	○
Mangiare gli spaghetti aiutandosi con un cucchiaio	○	○	○	○
Versare da bere alle altre persone	○	○	○	○
Aspettare che tutti abbiano terminato di mangiare prima di alzarsi	○	○	○	○
Pulire il piatto con il pane	○	○	○	○

curiosità: sai apparecchiare la tavola?

8. Dove metti:

- il piatto fondo e il piatto piano;
- le posate: la forchetta, il cucchiaio, il coltello;
- le posate per il dolce e la frutta: la forchettina, il cucchiaino, il coltellino;
- il bicchiere grande per l'acqua, il bicchiere piccolo per il vino;
- il tovagliolo.

Apparecchia la tavola e poi confronta con un compagno.

9. *Un ragazzo straniero scrive questa e-mail a un amico italiano.*
Immagina di essere Giovanni e rispondi a Tom.

Caro Giovanni,
proprio oggi ho letto un articolo che parla dell'Italia.
Ho letto che gli italiani hanno delle abitudini alimentari molto diverse dalle nostre.
L'articolo dice che pochi fanno colazione a casa. Hanno l'abitudine di fermarsi al bar
dove bevono un cappuccino e mangiano una pasta in piedi, in due secondi, in mezzo a una
grande confusione. È mai possibile? Mi sembra incredibile!
L'articolo dice anche che a pranzo mangiano l'antipasto, il primo, il secondo con il
contorno, frutta e dolce. Ma come fanno?
Riescono a lavorare dopo un pasto così? Chissà come sono grassi!
Ho letto anche che cenano tardissimo. Ma come fanno a dormire?
Questo articolo mi ha molto incuriosito.
Il giornalista avrà scritto la verità?
Potresti spiegarmi quali sono veramente le abitudini alimentari degli italiani?

Grazie mille. A presto,
Tom

Oggi scendiamo in piazza

foto di Gregory J. Christensen

per attivare il lessico

1. Hai due minuti per scrivere il maggior numero di parole collegate alla foto.

_____   _____   _____

_____   _____   _____

_____   _____   _____

_____   _____   _____

_____   _____   _____

Confronta le parole che hai trovato con quelle di un compagno.

2. Le parole che seguono possono riferirsi alla foto. Conosci il loro significato?
Collega le parole della colonna A con la spiegazione appropriata della colonna B.

A	B
Striscione	astensione collettiva dal lavoro da parte dei dipendenti per tutelare i propri interessi o per protestare.
Manifestazione	dichiarazione della propria opposizione.
Manifestare	fare sciopero, cioè non lavorare per protesta.
Manifestante	grande striscia di tela contenente annunci pubblicitari o di propaganda.
Cartellone	riunirsi con altre persone in pubblico per esprimere la propria approvazione o più spesso il proprio dissenso riguardo ad avvenimenti o problemi che interessano la comunità.
Protesta	manifesto, spesso con scritte polemiche, innalzato dai dimostranti.
Protestare	insieme di persone che sfilano ordinatamente.
Corteo	proclamare apertamente la propria opposizione.
Sciopero	dimostrazione di pubblico per esprimere approvazione o dissenso su problemi o avvenimenti di interesse generale.
Scioperare	chi partecipa a una manifestazione pubblica.

per parlare un po'

3. Descrivi la foto. Le domande possono aiutarti.

- Chi vedi nella foto?
- Dove è stata fatta la foto?
- Che cosa stanno facendo le persone?
- Come è l'atmosfera?
- Che età hanno le donne?
- Che tipo di donne sono? (in carriera, casalinghe, studentesse ecc.)
- Come sono vestite?

tocca a te! usa la fantasia

- Dai un altro titolo alla foto e motiva la tua scelta.
- È una manifestazione di donne. Secondo te per che cosa manifestano? Motiva la tua risposta.
- Alcune persone sorridono: secondo te perché?
- Che ora del giorno è?
- Quale stagione dell'anno è?

4. Sei un giornalista. Devi scrivere un breve articolo (non deve superare le 10 righe) per commentare la foto. Devi includere: quando c'è stata la manifestazione, dove, perché, che cosa è successo.

5. Role play.

Lo studente A e lo studente B immaginano di essere due passanti che guardano la manifestazione, uno approva, l'altro critica.

Lo studente A approva: le donne fanno bene a protestare, devono fare valere i loro diritti, le manifestazioni servono a sensibilizzare, ecc.

Lo studente B critica: le donne devono stare a casa e occuparsi della famiglia, le manifestazioni creano solo caos e confusione nelle città, ecc.

idee a confronto

Questa foto potrebbe essere fatta anche nel tuo paese? Motiva la tua risposta.

Nel tuo paese è comune fare cortei e manifestazioni di protesta? Se sì, in quali occasioni?
Tu hai mai partecipato a una manifestazione? Racconta la tua esperienza.

Nel tuo paese uomini e donne hanno le stesse opportunità?
Qual è la condizione della donna nel tuo paese?
Fai una presentazione agli altri studenti su questo argomento.

Il femminismo è un movimento ancora attuale e valido, o è superato?

La donna del terzo millennio si realizza solo nel lavoro e nella carriera?

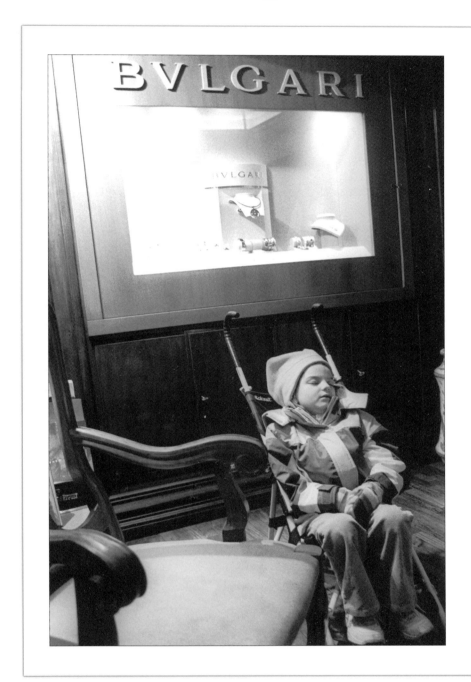

Da Bulgari

foto di Jaime M. Ross

per attivare il lessico

1. Scegli fra le parole della lista quelle che possono essere usate per descrivere la foto.

aggettivi	nomi	verbi
addormentato	bambino	dormire
sveglio	mamma	sognare
entusiasta	papà	mangiare
annoiato	genitori	parlare
tranquillo	passeggino	guardare
agitato	carrozzina	comprare
sereno	sedia	regalare
preoccupato	divano	spendere
stanco	gioielli	festeggiare
rilassato	vetrina	dimenticare
ansioso	commesso	pagare

2. Collega le parole della colonna A con la definizione appropriata della colonna B.

	A	B
Gioiello	chi vende i gioielli.
Gioielleria	oggetto di ornamento in metallo prezioso lavorato, spesso con pietre preziose.
Gioielliere	negozio dove si espongono e vendono gioielli.

3. Conosci questi oggetti? Scrivi a fianco di ciascuna illustrazione la definizione appropriata, scegliendola tra quelle elencate in ordine sparso.

**gli orecchini • la collana • la catena • il braccialetto
la spilla • l'anello • la fede • il ciondolo • l'orologio**

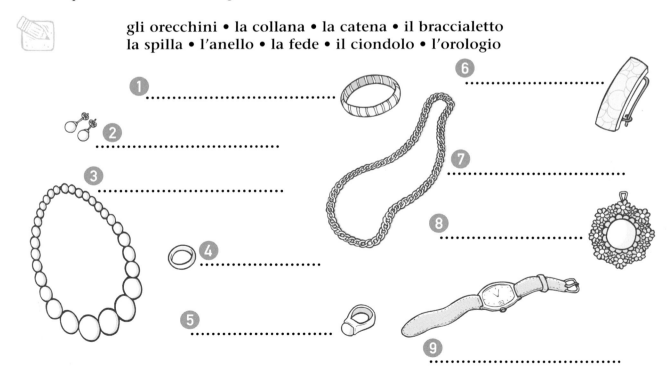

1. ....

2. ....

3. ....

4. ....

5. ....

6. ....

7. ....

8. ....

9. ....

a proposito di gioielli

4. *Conosci il significato di queste espressioni? Associa le espressioni della colonna A con le spiegazioni della colonna B.*

A	B
Custodire qualcosa come un gioiello	*Si dice per qualcosa che è giudicato molto bello, perfetto e quindi prezioso. Significa che è un'opera pregevole.*
Quel ... è un gioiello	*Si dice quando si ha molta cura di qualcosa.*
È un gioiello di ...	*Si dice per esprimere il massimo della stima e dell'ammirazione per una persona.*

per parlare un po'

5. *Descrivi la foto. Le domande possono aiutarti.*

- **Chi vedi nella foto?**
- **Dove è stata fatta la foto?**
- **Descrivi la stanza.**
- **Che cosa sta facendo il bambino?**
- **Descrivi il bambino (come è vestito, la sua espressione).**

tocca a te! usa la fantasia

- **Dai un altro titolo alla foto e motiva la tua scelta.**
- **Perché il bambino è tutto vestito?**
- **Secondo te dove sono i suoi genitori?**
- **Stanno comprando qualcosa? Per quale occasione?**
- **Chi ha fatto la foto e perché?**

6. Role play.

Con un compagno immagina il dialogo tra un cliente e il commesso della gioielleria. Insieme decidete che cosa il cliente vuole comprare, per chi e per quale occasione.

idee a confronto

Questa foto ti sembra tipicamente italiana? Motiva la tua risposta.
Questa foto potrebbe essere fatta anche nel tuo paese? Motiva la tua risposta.
La moda e il design italiani sono famosi in tutto il mondo. Tu che cosa sai?
Quali marche sono conosciute nel tuo paese?
Ti piacciono i gioielli?
Ti piace regalare o ricevere gioielli? In quali occasioni ne hai regalato o ricevuto uno?
Secondo alcune persone i gioielli sono un'ottima forma di investimento. Sei d'accordo?
Se tu avessi dei soldi da investire come li investiresti?

Oggi cucino io!

foto di Jessica Levee

per attivare il lessico

1. Hai due minuti per scrivere il maggior numero di parole collegate alla foto.

_____ _____ _____

_____ _____ _____

_____ _____ _____

_____ _____ _____

Confronta le parole che hai trovato con quelle di un compagno.

la cucina

2. Scrivi per ciascuna illustrazione la definizione appropriata, scegliendola tra quelle elencate in fondo.

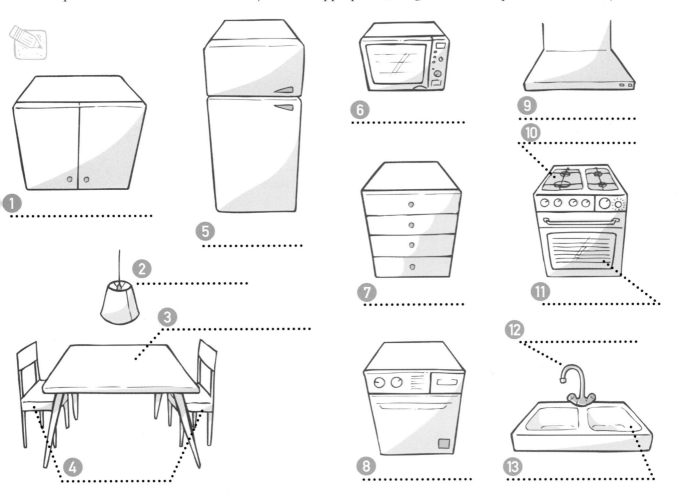

i fornelli • la cappa • il forno • il forno a microonde • il frigorifero • la lavastoviglie
il lavello • il rubinetto • l'armadietto • i cassetti • il tavolo • le sedie • il lampadario

gli utensili in cucina

3. Conosci il nome di questi oggetti che si usano in cucina? Scrivi per ciascuna illustrazione la definizione appropriata, scegliendola tra quelle elencate.

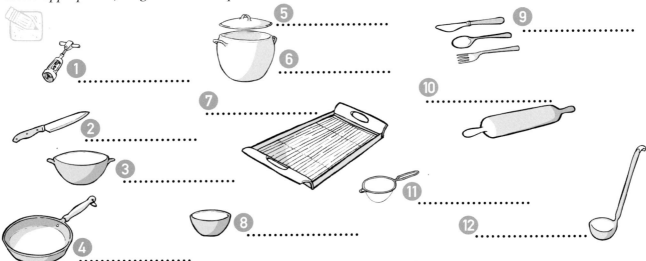

la pentola • il coperchio • la padella • il mestolo • il colino • il matterello
il coltello • il cavatappi • il vassoio • le posate • la ciotola • l'insalatiera

che cosa si fa in cucina?

4. Conosci il significato di questi verbi? Scrivili in corrispondenza dell'illustrazione appropriata.

condire• cuocere nel forno • aprire • versare • sbucciare • pelare • scolare
tagliare • bollire (o lessare) • mescolare • affettare • grattugiare • friggere

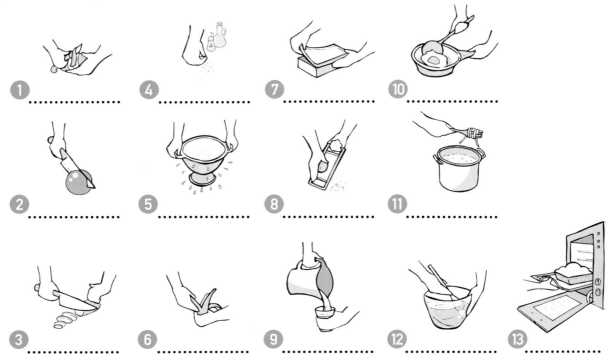

perché si usa?

5. Collega.

A	B
Il **grembiule** *si usa per*	condire e servire l'insalata.
Le **presine** *si usano per*	non sporcarsi.
Il **coltello** *si usa per*	togliere il tappo e aprire la bottiglia di vino.
La **grattugia** *si usa per*	tagliare.
Il **cavatappi** *si usa per*	coprire la pentola.
La **pentola a pressione** *si usa per*	grattugiare il formaggio.
Lo **scolapasta** *si usa per*	fare il caffè.
Il **coperchio** *si usa per*	non scottarsi le mani.
La **caffettiera** *si usa per*	scolare l'acqua dalla pasta o dal riso.
L'**insalatiera** *si usa per*	fare il tè.
La **teiera** *si usa per*	cucinare più velocemente.

a proposito di attrezzi

6. Conosci il significato di queste espressioni? Associa le espressioni della colonna A alle spiegazioni della colonna B.

A	B
Cadere dalla padella nella brace *si dice quando*	qualcosa si può intuire ma non è ancora stato detto.
Essere da raccogliere con il cucchiaio *si dice quando*	una persona è provata fisicamente o emotivamente per una malattia o perché è molto stanca.
Avere il coltello dalla parte del manico *si dice quando*	si passa da una situazione brutta a una peggiore.
Qualcosa bolle in pentola *si dice quando*	una persona è in una posizione vantaggiosa e può approfittarne.

per parlare un po'

7. Descrivi la foto. Le domande possono aiutarti.
Cerca di usare il maggior numero possibile di parole che hai trovato negli esercizi precedenti.

- Chi vedi nella foto?
- Dove è stata fatta la foto?
- Descrivi la stanza.
- Che cosa sta facendo la donna?
- Che cosa sta facendo l'uomo?
- Descrivi la donna (come è fisicamente, come è vestita, la sua espressione).
- Descrivi l'uomo (come è fisicamente, come è vestito, la sua espressione).
- Le due persone ti sembrano serene o preoccupate?

tocca a te! usa la fantasia

- Dai un altro titolo alla foto e motiva la tua scelta.
- Secondo te chi sono le persone?
- Perché l'uomo è vestito in quel modo?
- Perché sta cucinando?
- Perché cucina lui e lei lo guarda?
- Chi ha fatto la foto e perché?

8. Role play.

Con un compagno immagina il dialogo tra l'uomo e la donna.
L'uomo spiega quello che sta facendo, la donna gli dà dei consigli.
Parlano della cena, degli invitati, dei preparativi.

9. *Qual è la tua ricetta preferita? Scrivila per i tuoi compagni di classe.*

_____

_____

_____

_____

idee a confronto

Questa foto ti sembra tipicamente italiana? Motiva la tua scelta.
Nel tuo paese qual è il ruolo della donna nella famiglia? E qual è il ruolo dell'uomo?
Chi si occupa della casa? Chi si occupa dei figli? Di solito chi cucina?

la vita di coppia tu da che parte stai?

10. *Leggi attentamente le affermazioni.*

- In una coppia l'uomo e la donna devono collaborare e dividersi i compiti.
- In una coppia l'uomo non deve occuparsi della casa. Deve potere dedicare tutte le sue energie al lavoro per fare carriera.
- Quando nasce un figlio la mamma deve lasciare il lavoro e occuparsi totalmente dei figli.
- Quando nasce un figlio la mamma non deve lasciare il lavoro e deve continuare la sua professione.
- I figli hanno bisogno di tutti e due i genitori.
- I figli hanno bisogno principalmente della mamma.

Cerca nella classe gli studenti che hanno le tue stesse opinioni e formate dei gruppi.
Avete 10 minuti di tempo per discutere insieme ed elaborare una serie di pro e contro.
Ogni gruppo deve presentare e sostenere il proprio punto di vista. La discussione è libera. Sedetevi in cerchio e intervenite liberamente. Se necessario, potete chiedere aiuto all'insegnante.

La giornalaia

foto di Nisa Mason

per attivare il lessico

1. Hai due minuti per scrivere il maggior numero di parole collegate alla foto.

_____   _____   _____

_____   _____   _____

_____   _____   _____

_____   _____   _____

Confronta le parole che hai trovato con quelle di un compagno.

2. Conosci il significato di queste parole?
Collega le parole della colonna A con la spiegazione appropriata della colonna B.

A	B
Testata	chiosco per la vendita di giornali, libri, riviste.
Quotidiano	notizie che si riferiscono a fatti del giorno.
Periodico	pubblicazione quotidiana che riporta notizie e commenti su fatti di cronaca e avvenimenti politici, economici, sportivi, pubblicità e annunci di vario genere.
Rivista	persona che vende i giornali.
Giornale	giornalista che si occupa della cronaca.
Locandina	chi scrive o corregge gli articoli.
Sfogliare	è il nome di un giornale o un periodico, posto nella parte alta della prima pagina (insieme a prezzo, data, numero).
Redattore	può essere settimanale, mensile, femminile, di cinema, ecc.
Cronista	pubblicazione (giornale, rivista, opuscolo) che esce a intervalli regolari.
Servizio	guardare velocemente i titoli, i sottotitoli, le foto.
Cronaca	detta anche "civetta", foglio che viene esposto nelle edicole e che mette in risalto, in caratteri vistosi, gli argomenti più importanti del quotidiano.
Giornalaio	sinonimo di giornale, esce tutti i giorni.
Edicola	resoconto fatto da un giornalista con notizie raccolte di persona soprattutto quando si tratta di inchieste speciali.

dove li trovi?

3. *Riscrivi le parole nella colonna appropriata.*

**titolo • rivista • sottotitolo • foto • quotidiano • periodico • pubblicità
CD • videocassette • articoli di sport • articoli di politica • fumetti
servizi speciali • giornalaio • edicolante • articoli di cronaca**

nel giornale	in edicola

4. *Completa il dialogo tra la giornalaia (G) e la cliente (C), inserendo nel giusto ordine le battute date qui di seguito.*

- Sì, ma c'è stato uno sciopero e questa settimana esce con due giorni di ritardo.
- Certo!
- No, mi dispiace, non è ancora arrivato.

C.:   - Scusi, ha l'ultimo numero di *Casaviva*?

G.:   ....

C.:   - Ma di solito non esce il lunedì?

G.:   ....

C.:   - Posso prenotarlo così sono sicura di non perderlo?

G.:   ....

per parlare un po'

5. Descrivi la foto. Le domande possono aiutarti.

- • **Chi vedi nella foto?**
- • **Descrivi la signora.**
- • **Che cosa sta facendo?**
- • **Chi c'è con lei?**
- • **Descrivi l'edicola.**

tocca a te! usa la fantasia

- • **Dai un titolo a questa foto e motiva la tua scelta.**
- • **Che cosa sta pensando la giornalaia?**
- • **Qual è il suo stato d'animo? Motiva la tua risposta.**
- • **Che ora del giorno è?**
- • **Quale stagione dell'anno è?**
- • **Di chi è il cane? Perché sta lì?**
- • **Da quanto tempo la signora fa questo lavoro?**
- • **Secondo te le piace il suo lavoro?**

6. Se ti trovi in Italia, intervista un giornalaio e cerca di scoprire gli aspetti positivi e gli aspetti negativi del suo lavoro.

Prendi appunti durante l'intervista e poi riferisci agli altri studenti.

idee a confronto

Nel tuo paese esiste un posto simile all'edicola italiana?
Dove si vendono i giornali nel tuo paese?
Se sei in Italia guarda attentamente alcune edicole e cerca di scoprire tutto quello che vendono e come sono organizzate.

7. Segna una X accanto alle cose che puoi comprare in un'edicola in Italia:

Cartoline	○
Biglietti dell'autobus	○
Sigarette	○
Caramelle	○
Riviste pornografiche	○
Penne	○
Schede telefoniche	○
Videocassette	○
CD	○
Francobolli	○

8. *Che cosa sai della stampa italiana? Fai una piccola ricerca sui giornali e riviste italiani più venduti.*

9. *Intervista un compagno sulle sue abitudini e preferenze circa la lettura del giornale.*

- **Di solito leggi il giornale?**
- **Quale giornale leggi?**
- **Quante volte alla settimana?**
- **In quale momento della giornata lo leggi?**
- **Dove lo leggi?**
- **Come lo leggi? (Prima lo sfogli? Leggi subito quello che ti interessa? Leggi solo i titoli, i sottotitoli? Prima guardi le foto e leggi le didascalie?)**
- **Quali articoli ti interessano?**

Poi scrivi un paragrafo includendo tutto quello che ti ha detto.

La nonna
si fa bella

foto di Benjamin Lamora

per attivare il lessico

*1. Guarda attentamente la foto per due minuti, cerca di memorizzare tutto quello che vedi.
Prendi appunti.
Ora copri la foto e segna con una X se le seguenti affermazioni sono vere o false.*

	vero	falso
1. La foto è stata fatta in salotto.	○	○
2. La parrucchiera sta mettendo i bigodini.	○	○
3. L'uomo sta tagliando i capelli.	○	○
4. La televisione è accesa.	○	○
5. Il tavolo è vuoto.	○	○
6. Sul mobile c'è una pianta.	○	○
7. Nel pensile si vedono delle pentole.	○	○
8. Vicino al televisore c'è il telecomando.	○	○
9. La signora in primo piano porta gli occhiali.	○	○

*Confronta le tue risposte con quelle di un compagno.
Guardate insieme la foto. Correggete le affermazioni false.*

2. Riscrivi le parole nello spazio appropriato.

**tagliare • lunghi • biondi • castani • lavare • neri • rossi • corti
chiari • scuri • lisci • tingere • crespi • grigi • spazzolare • ricci
bianchi • pettinare**

verbi	qualità	colore

capelli

capelli: una parola, ma quanti significati!

3. *Collega le definizioni della colonna A con la spiegazione appropriata della colonna B.*

A	B
Avere un diavolo per capello	essere stufo di qualcosa
Averne fin sopra i capelli	diventare calvo
Avere i capelli bianchi	cose agghiaccianti, orribili
Cose da far rizzare i capelli	essere molto irritato, di pessimo umore
Far venire i capelli bianchi	trattare umanamente, con mitezza
Mettersi le mani fra i capelli	quando la situazione è molto difficile
Tirare per i capelli	quando qualcosa causa preoccupazioni e dispiaceri
Perdere i capelli	costringere, obbligare
Non toccare nemmeno un capello	si dice per persona che oltre ad essere anziana ha esperienza e saggezza

per parlare un po'

4. *Descrivi la foto. Le affermazioni dell'esercizio 1 e le domande che seguono possono aiutarti.*

- Chi vedi nella foto?
- Descrivi le tre persone.
- Dove sono? Che cosa stanno facendo?
- Che ore sono?

tocca a te! usa la fantasia

- Dai un altro titolo alla foto.
- Chi sono le tre persone?
- Perché la signora in primo piano si sta "facendo bella"?
- Secondo te dove deve andare?
- Perché non è andata dal parrucchiere?
- Di che cosa stanno parlando?

5. *Immagina di essere la signora della foto e scrivi una lettera alla figlia lontana. Includi le seguenti informazioni: chi è venuto a tagliarti i capelli, dove andrai nel pomeriggio/sera, con chi, come ti vestirai, il tuo stato d'animo.*

Cara Giovanna,

....

....

....

....

....

....

....

....

A presto, ti abbraccio,

mamma

idee a confronto

Questa foto potrebbe essere stata fatta anche nel tuo paese? Spiega perché.

Secondo te è importante avere cura del proprio aspetto fisico? Discutine insieme ai tuoi compagni.

unità 08

FOTO PARLANTI

Dammi qualcosa!

⬆

foto di Michelle Hulme

per attivare il lessico

*1. Sei lo studente A? Hai due minuti per scrivere il maggior numero di parole collegate alla foto.
Sei lo studente B? Scrivi le parole che lo studente A ti dice.*

_____   _____   _____

_____   _____   _____

_____   _____   _____

_____   _____   _____

_____   _____   _____

2. Confrontate le parole trovate con quelle date qui di seguito.

Nomi: zingara, passanti, ragazzo, bambino, motorino, autobus, fermata dell'autobus, piazza, borsa a tracolla, cartello, bicchiere di plastica, foto, foulard, scialle, gonna, giacca, marciapiede, strada, traffico, chiesa.

Verbi: chiedere l'elemosina, camminare, guardare, aspettare, essere indifferente.

per parlare un po'

3. Se sei lo studente A descrivi la foto allo studente B. Cerca di usare tutte le parole che hai trovato e quelle della lista. Devi essere il più preciso e accurato possibile perché lo studente B non ha visto la foto e la ricostruzione dipende dalla tua descrizione.

Se sei lo studente B disegna oppure scrivi la descrizione della foto che ti fa lo studente A. Cerca di fare molte domande allo studente A per chiarire tutti i punti.

Poi confrontate la foto "vera" con quella "ricostruita".

tocca a te! usa la fantasia

• **Dai un altro titolo alla foto e motiva la tua scelta.**
• **Secondo te le due zingare si conoscono?**
• **Immagina come è la loro giornata.**
• **Dove è stata fatta la foto?**
• **Chi ha fatto la foto e perché?**

4. *La zingara ha fatto degli errori. Aiutala e correggi il suo cartello.*

PER FAVORE SONO POVERO
SENZA CASA
DORMIRE LA STRADA
CON 4 BAMBINI PICOLI
CON PICOLA OFERTA
PER MANGEARE
MILE GRAZIE

5. *Completa questo articolo di cronaca inserendo le parole date qui di seguito.*

turbata • rubato • zingara • fuggire • aggredita • arrestata

Ieri pomeriggio una ragazzina di 14 anni è stata ....
sull'autobus n. 17 mentre tornava da scuola. Una ....
l'ha minacciata con un coltello e le ha .... il portafoglio
e il cellulare.
La nomade è riuscita a .... ma fortunatamente è stata
fermata da dei passanti ed è stata .... dai poliziotti.
La giovane studentessa è rimasta molto .... da questa
brutta esperienza.

6. *Rileggi l'articolo e completa.*

Oltre a **zingara** nell'articolo hanno usato ....
Invece di **scappare** nell'articolo hanno usato ....
Invece di **sconvolta, scioccata** nell'articolo hanno usato ....

idee a confronto

Questa foto ti sembra tipicamente italiana? Motiva la tua risposta.
Potrebbe essere fatta anche nel tuo paese?
Hai mai visto una scena simile? Se sì, parlane con gli altri studenti.

gli zingari causano solo problemi e vanno emarginati? tu da che parte stai?

7. Leggi attentamente le affermazioni.

- Gli zingari sono una delle cause dell'aumento della microcriminalità.
- Gli zingari non devono vivere chiedendo l'elemosina ma devono lavorare come fanno tutti.
- Gli zingari sono un costo per la comunità e non dovrebbero avere il permesso di venire in Italia.
- Gli zingari sfruttano le donne e i bambini quindi sono un esempio negativo.
- È giusto che gli zingari difendano le proprie tradizioni e il proprio modo di vivere.
- Hanno usanze molto diverse e "contaminano" la nostra cultura.
- La nostra società sta diventando sempre più multirazziale perciò bisogna educare tutti alla tolleranza.
- Con l'apertura alle altre culture anche la nostra si arricchisce.

Cerca nella classe gli studenti che hanno le tue stesse opinioni e formate dei gruppi.
Avete 10/15 minuti di tempo per discutere insieme ed elaborare una serie di pro e contro.
Ogni gruppo deve presentare e sostenere il proprio punto di vista.
La discussione è libera. Sedetevi in cerchio e intervenite liberamente. Se necessario, potete chiedere aiuto all'insegnante.

Il bacio

foto di Mark Heyman

per attivare il lessico

1. *Che cosa ti fa venire in mente la parola "amore"? In 5 minuti scrivi tutto quello che ti viene in mente, poi confronta il tuo elenco con quello di un compagno.*

amore

2. *Scrivi una frase semplice ma efficace su che cosa è l'amore per te.*

Per me l'amore è ....

per parlare d'amore

3. *Conosci il significato di queste espressioni? Come si dice nella tua lingua? Se non lo sai, prova a fare delle supposizioni, poi confronta la tua risposta con quella degli altri studenti o con il dizionario.*

- **il mio ragazzo, la mia ragazza**

....

- **voler bene a... / amare**

....

- **mettersi con... / stare insieme a...**

....

- **lasciarsi / mollarsi / piantarsi**

....

- **tradire / fare le corna**

....

- **innamorarsi di ... / essere innamorato cotto di .../ prendersi una bella cotta per ... / perdere la testa per...**

....

- **amore a prima vista / colpo di fulmine**

....

4. *Due amiche parlano al telefono. Inserisci le espressioni mancanti. Sceglile tra quelle date qui di seguito.*

**un colpo di fulmine • innamorato cotto
ha perso la testa • fidanzarsi • amore a prima vista
si è preso una bella cotta • si sarebbe mai innamorato**

Marta: Sai, ieri sera alla festa di Dario ho incontrato Stefano. Non lo vedevo da molto tempo e mi ha raccontato un sacco di novità.

Giovanna: Davvero? Dimmi!

M.: Mi ha detto che ....
per una ragazza francese.

G.: Ma dai! Proprio lui che diceva che non
.... di una straniera.

M.: Invece .... per lei.
È ....

G.: La conosce da molto tempo?

M.: No, è stato .... L'ha incontrata
un mese fa durante una gita a Parigi. Si sono conosciuti in casa di amici ed è
stato ....

G.: Non ci posso credere!

M.: Pensa che hanno deciso di andare a vivere insieme. Lei vorrebbe aspettare un po' prima di .... ufficialmente, ma lui sta già per comprarle l'anello.
Io gli ho detto che mi sembra pazzo. Tutto così in fretta! Secondo me deve
essere più prudente. Ma lui mi ha risposto che al cuore non si comanda.

G.: Che bella storia! Gli auguro di cuore tanta felicità.

per parlare un po'

5. *Uno studente non molto attento ha descritto la foto e ha fatto 4 errori. Trovali e correggili.*

In questa foto ci sono due bambini.
Sono sdraiati su una panchina, sono abbracciati e si stanno baciando.
Sono in riva a un fiume.
Si vedono delle navi di pescatori e una piccola spiaggia di sabbia.
La giornata è bella: splende un bel sole anche se forse non fa molto caldo.

tocca a te! usa la fantasia

- Chi sono le due persone?
- Dove si sono conosciute?
- Da quanto tempo si conoscono?
- Perché si trovano lì?
- In quale stagione siamo? Motiva la tua risposta.
- Dai un altro titolo alla foto e spiega la tua scelta.

6. Role play.

In coppia tu e un compagno immaginate la conversazione tra due persone innamorate sedute su una panchina in un parco.

7. *Tu sei la ragazza e scrivi una cartolina alla tua migliore amica (non dimenticare di dire dove sei, con chi, descrivi il tuo ragazzo, esprimi il tuo stato d'animo).*

Foto Parlanti • Bonacci editore, Roma

idee a confronto

Nel tuo paese si potrebbe fare una foto simile? Motiva la tua risposta.
È possibile baciarsi in pubblico?

Abbiamo l'abitudine di dire che "l'amore è una cosa meravigliosa".
Sei d'accordo con questa affermazione?

unità 10

Il matrimonio

per attivare il lessico

1. *Conosci il significato di queste parole che si riferiscono al matrimonio?*
Collega le parole della colonna A con la spiegazione nella colonna B.

A	B
Sposare	la persona che fa le fotografie.
Sposo	rito nel quale un uomo e una donna diventano marito e moglie.
Sposa	prendere in moglie/marito.
Fotografo	biglietti stampati che annunciano il matrimonio.
Matrimonio	piccolo oggetto, di solito di ceramica o di argento, in cui si tengono i confetti, che gli sposi regalano agli invitati a ricordo del matrimonio.
Testimoni	rinfresco, banchetto.
Partecipazioni	piccolo mazzo di fiori che la sposa tiene in mano.
Confetti	tessuto molto leggero.
Ricevimento	vestito che si indossa per il giorno del matrimonio, tradizionalmente lungo e bianco.
Bouquet	l'uomo che si sposa.
Velo	anello che gli sposi si scambiano il giorno del matrimonio, simbolo di reciproca fedeltà.
Abito da sposa	piccoli dolci formati da una mandorla ricoperta di zucchero sempre presenti ai matrimoni.
Fede	la donna che si sposa.
Viaggio di nozze	luna di miele, periodo di riposo dopo le fatiche del matrimonio.
Bomboniera	persone particolarmente care che testimoniano.

che fatica sposarsi!

2. *Quando ci si sposa c'è veramente molto da fare. Completa la lista con le parole date in ordine sparso.*

**lista dei regali • abito • ricevimento • partecipazioni • testimoni
chiesa • fiori • certificato • documenti • data del matrimonio**

Si deve:

fissare la ....

con parecchio anticipo;

richiedere i .... all'anagrafe;

(se ci si sposa in chiesa) richiedere il ....

di battesimo e di cresima;

prenotare la ....;

spedire le ....;

organizzare il ....;

scegliere l'.., i ....,

i ....;

fare la ....

3. *Un'invitata scrive a un'amica che non ha potuto partecipare al matrimonio.
Inserisci le espressioni mancanti. Sceglile tra quelle nel riquadro.*

**matrimonio • ricevimento • fedi • fiori • abito • velo • invitati
sposi • cerimonia • viaggio di nozze • bomboniere**

Cara Caterina,

il .... di Flavia e Giovanni è stato stupendo. La chiesa era

bellissima, addobbata con .... bianchi e gialli. C'erano

molti ...., tanti amici che già conoscevo ma anche molte

persone venute da tutte le parti del mondo.

Gli .... erano raggianti di felicità. Flavia aveva un bellissimo

.... bianco, lungo con un po' di strascico e in testa un delizioso

.... Sembrava una principessa ed era veramente felice.

Anche Giovanni era molto elegante.

La .... è stata molto semplice e tutti erano molto emozionati. C'era una musica commovente e quando gli sposi si sono giurati fedeltà e si sono scambiati le .... io mi sono commossa e ho pianto.

All'uscita dalla chiesa c'è stato il tradizionale lancio del riso e poi siamo andati a Villa Giulini dove avevano organizzato il ....

Il pranzo è stato squisito ma (come sempre ai matrimoni!) troppo lungo: siamo stati a tavola fino alle sei! Per fortuna la giornata era splendida e ogni tanto potevo alzarmi e fare due passi nel magnifico parco.

Alla fine gli sposi sono passati a distribuirci le .... e poi, stanchi ma felici, sono finalmente partiti per un lungo ....

....

Appena le foto saranno pronte te le spedirò.

Un grosso abbraccio,
Livia

per parlare un po'

4. Descrivi la foto. Le domande possono aiutarti.

- Chi vedi nella foto?
- Dove sono?
- Che cosa stanno facendo?
- Chi manca?
- Come sono vestiti?
- Che cosa sta facendo la signora in primo piano?
- Che ora del giorno è? Motiva la tua risposta.
- Come è il tempo?
- Quale stagione è? Motiva la tua risposta.

tocca a te! usa la fantasia

- Dove è stata fatta la foto?
- Chi l'ha fatta e perché?
- Perché non c'è lo sposo?
- Che cosa hanno fatto prima?

5. *Insieme a tutta la classe stabilite il nome dei due sposi, la loro età, la loro nazionalità. Dividetevi in gruppi. Avete 10 minuti di tempo per lavorare, poi uno studente per ogni gruppo riferisce alla classe la propria storia.*

Gruppo A: inventa la storia di quando si sono conosciuti (dove, quanto tempo fa, quando si vedevano, che cosa facevano di solito insieme, ecc.)

Gruppo B: parla dei loro progetti di matrimonio, dei preparativi e dell'organizzazione della cerimonia.

Gruppo C: racconta il viaggio di nozze (dove sono stati, per quanto tempo, che cosa hanno visto, chi hanno conosciuto, che cosa hanno comprato, ecc.)

Gruppo D: parla del loro primo anno di vita insieme.

idee a confronto

Sei mai stato a un matrimonio? Racconta.

Come si celebra il matrimonio nel tuo paese? Quali sono le usanze?

Se conosci un italiano sposato chiedigli di raccontarti il suo matrimonio e di mostrarti qualche foto. In Italia e nel tuo paese le tradizioni sono le stesse o ci sono usanze differenti?

Sposarsi può costare moltissimo. Ti sembra giusto spendere tanti soldi per il matrimonio?

Spesso genitori e figli hanno idee diverse sul modo di celebrare il matrimonio. È vero anche per te?

Se non sei sposato/a: ti piacerebbe sposarti? Come ti immagini il tuo matrimonio?
Se sei sposato/a: racconta il tuo matrimonio e, se possibile, mostra qualche foto.

convivenza o matrimonio? tu da che parte stai?

6. *Dividetevi in due gruppi.*

Il gruppo A è favorevole alla convivenza.
Il gruppo B è favorevole al matrimonio.

Avete 10 minuti di tempo per discutere insieme ed elaborare una serie di pro e contro. Ogni gruppo deve presentare e sostenere il proprio punto di vista.

La discussione è libera. Sedetevi in cerchio e intervenite liberamente.

Se necessario, potete chiedere aiuto all'insegnante.

Al mercato

1. *Questa foto è stata fatta a un mercato all'aperto. Sai che cosa è un mercato? Leggi il testo che segue.*

In quasi tutte le città italiane ci sono dei mercati all'aperto dove si vendono prodotti alimentari e prodotti di vario genere: abbigliamento, casalinghi, profumeria, libri.
Di solito ogni quartiere o rione della città ne ha uno. Generalmente sono aperti solo la mattina.
Anche nei paesi c'è il mercato, di solito un giorno fisso della settimana, spesso in una piazza (generalmente chiamata piazza del mercato).
Al mercato non ci sono negozi ma bancarelle.

per attivare il lessico

2. *Hai due minuti per scrivere il maggior numero di parole collegate alla foto.*
Confronta le parole che hai trovato con quelle di un compagno.

mercato: una parola ma quanti significati!

3. *Collega le parole della colonna A con la spiegazione appropriata della colonna B.*

A	B
Mercato delle pulci	clandestino, illecito.
A buon mercato	mercatino tipico di un quartiere.
Mercato nero	su barche, in un fiume o canale.
Mercato rionale	mercato specializzato dove si possono trovare solo pesci o fiori ma in molte varietà.
Mercato del pesce/dei fiori	mercato in cui si vendono a basso prezzo oggetti usati di ogni genere.
Mercato galleggiante	a poco prezzo, conveniente.

4. *Al mercato si possono trovare molti articoli di abbigliamento.*
Sai risolvere gli indovinelli? Riordina le lettere, avrai le risposte.

Possono essere lunghi o corti:	.... (tonanipal)
Di solito è di lana, con le maniche lunghe:	.... (galomine)
Si portano ai piedi:	.... (crespa)
Si mette quando piove:	.... (meremalibepi)
Si usano per coprire le mani quando fa freddo, possono essere di lana o di pelle:	.... (tangui)
Si mette intorno al collo:	.... (parasic)
È un accessorio, si mette in vita, può essere di vari materiali:	.... (runtica)
Si mette intorno al collo, è una parola francese:	.... (darulof)
Si mette in testa:	.... (lopelpac)
Serve quando si va in palestra:	.... (tuadnagitiniscata)
È simile a un maglione ma non è di lana:	.... (lapef)
Un uomo non può mettere la cravatta se prima non l'ha messa:	.... (maciaci)

per parlare un po'

5. *Descrivi la foto. Le domande possono aiutarti.*

- Chi vedi nella foto? Descrivi le persone che vedi.
- Dove sono?
- Che cosa ha in mano la signora?
- Che cosa ha nella borsa?
- Che bancarelle vedi?
- Dove è questo mercato?
- È molto affollato?
- Com'è il tempo?

tocca a te! usa la fantasia

- La signora ha dei soldi in mano. Perché?
- Che cosa ha comprato?
- Che cosa sta guardando?
- Perché il signore con la bicicletta ha una mano sulla testa?
- Che cosa sta guardando?
- Che cosa sta pensando?
- Chi ha fatto la foto e perché?

6. *Inserisci nel dialogo le frasi del venditore, date in fondo in ordine sparso.*

Cliente: Mi fa vedere quei pantaloni, per favore?

Venditore: ....

C.: Quelli a tinta unita.

V.: ....

C.: La 42. Posso provarli?

V.: ....

C.: Quanto costano?

V.: ....

C.: Sono un po' cari. Volevo spendere meno.

V.: ....

C.: Va bene, li prendo e se non mi vanno bene ritorno giovedì prossimo.

V.: ....

- Sì, mi raccomando, non dimentichi di riportare lo scontrino.
- 40 euro.
- Quali? Quelli a tinta unita o quelli a fantasia?
- Che taglia porta?
- Sì, sono un po' cari ma sono di puro cotone, ultimo modello, vedrà come le stanno bene!
- No, mi dispiace. Al mercato non c'è il camerino. Se però non le vanno bene, giovedì prossimo glieli cambio.

Che cosa dici se...

7. Collega.

A	B
La taglia è troppo piccola?	Si possono allungare?
La gonna è troppo stretta?	Mi va bene, lo compro.
Le maniche sono troppo corte?	Posso provare la taglia più grande?
I pantaloni sono troppo lunghi?	Mi può fare l'orlo? Si possono accorciare?
Se ti piace quello che hai provato?	È possibile allargarla?

8. Role play.

 Immagina un dialogo tra un cliente e un venditore al mercato.

idee a confronto

Questa foto ti sembra tipicamente italiana o potrebbe essere fatta anche nel tuo paese? Spiega perché.

Anche nel tuo paese esistono i mercati? Descrivi come sono.

Hai mai visto un mercato italiano? Se sì, descrivi come è quello che hai visto, l'atmosfera, le persone che lo frequentano, la merce che viene venduta.

Tu di solito dove fai la spesa? E dove fai le spese?

è meglio fare acquisti al mercato o nei negozi? tu da che parte stai?

9. Dividetevi in due gruppi.

 Il gruppo A è favorevole al mercato.
Il gruppo B è favorevole ai negozi.

Avete 10 minuti di tempo per discutere insieme ed elaborare una serie di pro e contro.
Ogni gruppo deve presentare e sostenere il proprio punto di vista.
La discussione è libera. Sedetevi in cerchio e intervenite liberamente.
Se necessario, potete chiedere aiuto all'insegnante.

Quanta acqua!

foto di Margaret M. Jackson

per attivare il lessico

1. Hai due minuti per scrivere il maggior numero di parole collegate alla foto.

_____   _____   _____

_____   _____   _____

_____   _____   _____

_____   _____   _____

Confronta le parole che hai trovato con quelle di un compagno.

per parlare un po'

2. Descrivi la foto. Le domande possono aiutarti.

- Chi vedi nella foto?
- Dove sono?
- Come è la piazza? Perché?
- Riconosci la città?
- Come è il tempo?
- Che cosa stanno facendo le due persone?

tocca a te! usa la fantasia

- Scrivi una didascalia o dai un titolo a questa foto e motiva la tua scelta.
- Chi sono le due persone in primo piano?
- Dove stanno andando?
- Secondo te il signore e la bambina sono contenti di uscire con la pioggia?
- Quale stagione è? Motiva la tua risposta.
- Secondo te chi ha fatto la foto? E perché?

3. Role play.

Lavorando a coppie (studente A e studente B), decidete perché il signore e la bambina escono (vanno ad un festa? a trovare un'amica? a comprare un regalo? ecc.).
Immaginate la conversazione fra l'uomo (studente A) che non vuole uscire perché fa freddo e piove, e cerca di convincere la bambina a restare in casa, e la bambina (studente B) che insiste per uscire.

idee a confronto

Sei mai stato a Venezia? Se sì, era come nella foto?
In quale stagione ci sei andato? C'erano molti turisti?
Che cosa hai visitato?

Sai che cosa succede a Venezia quando piove molto?
Hai mai sentito parlare del fenomeno dell'acqua alta a Venezia?

Ti piacerebbe vivere per un anno intero o per un lungo periodo a Venezia? Motiva la tua risposta.

4. *Se sei stato a Venezia, scrivi un paragrafo sulla tua visita. Ricorda di dire quando ci sei andato, con chi, quanto tempo sei rimasto, che cosa ti è piaciuto di più e perché.*

Se non sei mai stato a Venezia, hai mai sentito parlare di questa città? Che cosa sai?

Se non sai niente intervista qualcuno che ci è stato o ricerca notizie sulla città e poi riferisci ai tuoi compagni.

_____

_____

_____

_____

_____

_____

_____

_____

_____

_____

Viaggiare è importante? Perché?

Al Re degli Amici

per attivare il lessico

1. *Guarda attentamente la foto per due minuti, cerca di memorizzare tutto quello che vedi. Prendi appunti.*
Ora copri la foto e segna con una X se le seguenti affermazioni sono vere o false.

	vero	falso
1. Il cameriere è vestito con una giacca nera e i pantaloni bianchi.	○	○
2. Il cameriere ha la cravatta.	○	○
3. Il cameriere è per la strada.	○	○
4. Il cameriere si appoggia con le due mani alla porta di ingresso.	○	○
5. Il ristorante si chiama "Re degli amici".	○	○
6. Si trova in una strada molto trafficata.	○	○
7. È al numero 35.	○	○
8. Non si vedono né macchine, né motorini, né passanti.	○	○
9. Fuori dal ristorante c'è il menu.	○	○
10. Vicino alla porta ci sono tre vasi di fiori.	○	○
11. Il cameriere sta guardando qualcosa.	○	○

Confronta le tue risposte con quelle di un compagno.
Guardate insieme la foto. Correggete le affermazioni false.

2. *Completa le frasi scegliendo tra le espressioni date:*

al sangue • al dente • salato • frizzante • ben cotta • naturale

Agli italiani la pasta piace cotta ....

L'acqua minerale può essere .... o ....

Una bistecca può essere .... o ....

Se il conto è eccessivamente alto si dice che è ....

3. *Collega la parola della colonna A con la definizione appropriata della colonna B.*

A	B
Conto	parte del conto per le spese dell'apparecchiatura e del pane.
Pane e coperto	somma di denaro che si ha l'abitudine di dare al cameriere per il buon servizio.
Servizio	somma da pagare alla fine del pasto.
Mancia	parte del conto per quello che il cameriere fa.

4. *Conosci il significato di questi aggettivi che si riferiscono al cibo? Scrivi il contrario appropriato accanto a ciascuna parola.*

buono   ....

dolce   ....

piccante   ....

salato   ....

ottimo   ....

squisito   ....

cotto   ....

delicato • crudo • insipido • amaro • disgustoso • pessimo • cattivo

per parlare un po'

5. *Descrivi la foto. Le affermazioni dell'esercizio 1 e le domande che seguono possono aiutarti.*

- Chi vedi nella foto?
- Descrivi l'uomo. Come è vestito?
- Che cosa sta facendo?
- Dove si trova il ristorante?
- Che tipo di ristorante è?

tocca a te! usa la fantasia

- Dai un altro titolo alla foto e motiva la tua scelta.
- Secondo te chi è l'uomo? Il proprietario o un cameriere? Motiva la tua risposta.
- Che cosa sta guardando?
- Perché per la strada non ci sono né macchine né persone?
- Che ore sono? Motiva la tua risposta.
- Secondo te come si mangia in questo ristorante?

al ristorante

6. *Completa il dialogo inserendo quello che dice il cameriere.*

Cameriere: ....
Mario: Sì, per due, alle otto.
C.: ....
M.: Salviati.
C.: ....
Giovanna: Quanti piatti interessanti! Non so proprio che cosa scegliere.
M.: Per me è più facile, sono vegetariano e c'è meno scelta.
C.: ....
G.: Che cosa ci consiglia? Qual è la vostra specialità?
C.: ....
M.: Che cosa sono i pici infuocati con ricotta salata? C'è la carne?
C.: ....
M.: Allora no. Prendo maltagliati con pesto ma senza gamberetti.
G.: Io invece prendo un antipasto e salto il primo: involtini di
melanzane e spada.
C.: ....
M.: Io lo salto.
G.: Io prendo un filetto alla griglia. Mi raccomando però, lo vorrei
ben cotto, non al sangue.
C.: ....
G.: Per me spinaci saltati.
M.: E per me un'insalatina e dei ceci.
C.: ....
M.: Una bottiglia di acqua minerale.
C.: ....
M.: Naturale e mezzo litro di vino rosso della casa.

C.: ....
G.: Che cosa c'è di buono?
C.: ....
G.: Per me allora una panna cotta.
M.: Io prendo la macedonia con il gelato.
M.: Ci porta per favore due caffè e il conto.

- **Vi porto il carrello così potete vedere. La panna cotta è la nostra specialità.**
- **No, non c'è la carne. I pici sono un tipo di pasta. È un piatto molto piccante.**
- **A che nome?**
- **E da bere?**
- **E per secondo?**
- **Prendete un dolce?**
- **Avete scelto? Volete ordinare?**
- **Frizzante o naturale?**
- **Non saprei, è tutto molto buono ma vi consiglio le linguine**
  alle vongole veraci. Sono freschissime.
- **Volete anche un contorno?**
- **Bene, ecco il vostro tavolo. Questo è il menù.**
- **Buonasera signori. Avete prenotato?**

7. *Immagina di essere il cameriere dell'esercizio precedente. Sei capace di fare il conto?*
Guarda il menu e poi riempi la ricevuta.
Infine, confrontala con quella di un compagno.

Antipasti

Calamari ripieni	€ 7,00
Bufala in caprese	€ 7,00
Insalata di moscardini ai sapori orientali	€ 7,00
Involtini di melanzane e spada	€ 7,00
Salumi misti e crostini fantasia	€ 7,00
Prosciutto e melone	€ 7,00
Treccia di bufala su rucola e pachini	€ 6,00
Zucchine ripiene	€ 7,00

Primi piatti

Fedelini alla carrettiera	€ 6,00
Risotto zucca taleggio e rosmarino	€ 7,00
Linguine alle vongole veraci	€ 8,00
Sorgonelli in salsa di prosciutto e rucola	€ 7,00
Pici infuocati con ricotta salata	€ 7,00
Caramelle noci gorgonzola e radicchio	€ 7,00
Tagliatelle pomodoro e basilico	€ 7,00
Maltagliati pesto e gamberetti	€ 7,00

Secondi piatti

Bistecca alla fiorentina	€ 3,50 l'etto
Ossibuchi dello chef	€ 11,00
Filetto alla griglia	€ 15,00
Lingua di vitella con funghi in umido	€ 8,00
Bocconcini di pollo e verdure fritti	€ 10,00
Trancio di tonno ai pepi	€ 11,00
Tagliata di pollo agli aromi	€ 9,00
Lombatina di vitella alla griglia	€ 12,00
Straccetti di vitella all'aceto balsamico	€ 10,00

Contorni € 3,00
Ceci – Fagioli all'uccelletto – Insalatina misticanza
Spinaci saltati – Spinaci all'agro – Patate arrosto
Cipolline in agrodolce

Dolci e macedonie della casa	€ 4,00
Acqua 1/2 litro	€ 1,50
Acqua 1 litro	€ 2,00
Vino della casa bottiglia	€ 8,00
Vino della casa1/2 litro	€ 5,00
Caffè	€ 1,50
Coperto	€ 2,00

8. Roleplay.

Con due o tre compagni immagina un dialogo al ristorante.

idee a confronto

Questa foto potrebbe essere stata fatta anche nel tuo paese? Motiva la tua risposta.
Vai spesso al ristorante? Se sì, ti piace cambiare o sei un abitudinario?
Quando vai a cena fuori vai sempre negli stessi posti?
In quali occasioni vai al ristorante?
Quale tipo di ristorante preferisci?

Alt!
Passa l'autobus

per attivare il lessico

1. Hai due minuti per scrivere il maggior numero di parole collegate alla foto.

Confronta le parole che hai trovato con quelle di un compagno.

2. Scrivi i nomi vicino all'immagine:

marciapiede • strisce pedonali • segnale stradale • incrocio • semaforo • bicicletta senso vietato • multa • parcheggio • vigile • casco • autobus • taxi • motorino

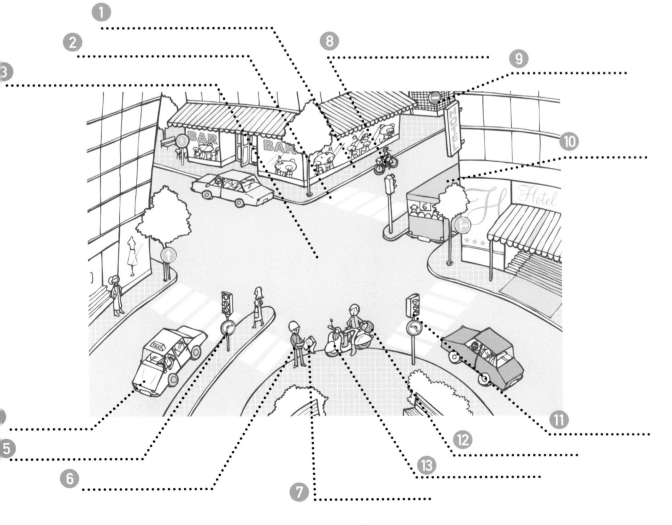

per la strada

3. *Completa la conversazione inserendo nell'ordine appropriato le battute di B date in fondo.*

A: Scusi, mi sa dire dov'è la fermata del 17?

B: ....

A: Per favore, mi potrebbe dire dove posso comprare il biglietto per l'autobus?

B: ....

A: Scusi, è già passato il 12?

B: ....

A: Per favore, mi sa dire a che ora passa il 23?

B: ....

- Alle 11 e 45.
- Certo, è qui a due passi. Giri a destra, è proprio all'angolo.
- No, non ancora. Lo sto aspettando anch'io.
- All'edicola qui di fronte.

sull'autobus

4. *Collega la colonna A con la colonna B.*

A	B
Appena salgo sull'autobus	dove c'è un posto libero.
Suono il campanello	timbro il biglietto.
Mi siedo	"Sì, certo!"
"Questo autobus ferma in Piazza del Duomo?"	per prenotare la fermata.
"A quale fermata devo scendere?"	"Se non c'è traffico ci vogliono 10 minuti."
"Quanto tempo ci vuole per andare alla stazione?"	"Fra due fermate."

per parlare un po'

5. Descrivi la foto. Le domande possono aiutarti.

- Quante persone vedi nella foto?
- Come sono?
- Come sono vestite?
- Dove sono?
- Che cosa stanno facendo?
- Quale stagione dell'anno è? Motiva la tua risposta.

tocca a te! usa la fantasia

- Scrivi una didascalia per questa foto e motiva la tua scelta.
- Chi sono le tre persone in primo piano?
- Secondo te si conoscono?
- Dove stanno andando?
- Da dove arrivano?
- Che cosa hanno fatto prima di arrivare lì?

6. Immagina che cosa stanno pensando e scrivi una breve frase per ognuno.
Poi confronta con un compagno le risposte.

Primo uomo: ....

Donna: ....

Secondo uomo: ....

idee a confronto i mezzi di trasporto

7. Parla dei mezzi di trasporto nel tuo paese. Quali sono i mezzi di trasporto più usati?
Che cosa sai dei mezzi di trasporto in Italia? Fai una piccola ricerca o intervista qualche italiano su questo argomento.
Quali sono le maggiori differenze tra i mezzi di trasporto in Italia e nel tuo paese?

in Italia	nel mio paese

Bambina sola

foto di Tori Duggins

per attivare il lessico

1. Hai due minuti per scrivere il maggior numero di parole collegate alla foto.

2. Sai che cosa significano le seguenti parole?

portone • marciapiede • essere seduto • da solo

per parlare un po'

3. Descrivi la foto. Le domande possono aiutarti.

- **Chi vedi nella foto?**
- **Dove è la bambina?**
- **Come è vestita?**
- **Che cosa sta facendo?**
- **Qual è il suo stato d'animo?**

4. Leggi il testo seguente e cancella l'espressione inesatta tra le due indicate in neretto.

In questa foto **in secondo piano / in primo piano** c'è una bambina seduta **da sola / in compagnia** sul marciapiede per la strada. Ha la testa appoggiata **alla mano / sulle ginocchia**. Sta **guardando / leggendo** qualcosa.
Dietro di / davanti a lei c'è un portone di **vetro / legno**, **chiuso / aperto**.
La foto è stata scattata in una città vecchia, probabilmente **in periferia / nel centro storico**.

tocca a te! usa la fantasia

- **Scrivi una didascalia per questa foto e motiva la tua scelta.**
- **Secondo te chi ha fatto la foto e perché l'ha fatta?**
- **Perché la bambina si trova lì da sola? Ti sembra strano o normale?**
- **Dove sono i suoi genitori?**
- **A che cosa sta pensando la bambina?**
- **Secondo te sta aspettando qualcuno?**

5. In piccoli gruppi inventate una storia ispirandovi alla foto. Ricordatevi di dare un nome alla bambina, stabilire l'età, descrivere la sua famiglia, spiegare quello che è successo prima della foto e quello che seguirà.

idee a confronto tu come eri?

Che cosa ti ricordi della tua infanzia? Prova a pensare a quando eri piccolo, che cosa ti ricordi?

6. *Cerca tra i tuoi compagni di classe qualcuno che da bambino:*

- **abitava nella stessa città dove abita ora**
- **parlava due lingue**
- **non aveva paura del buio**
- **non beveva mai il latte**
- **adorava gli spinaci**
- **andava in vacanza in Italia**
- **non guardava mai la televisione**
- **non aveva molti amici**
- **aveva paura dei cani**
- **aveva un animale**

7. *Scrivi un paragrafo sulla tua infanzia. Non dimenticare di scrivere:*

come eri fisicamente, dove abitavi, con chi giocavi, se avevi molti amici, come si chiamava il tuo migliore amico, che cosa ti piaceva fare e che cosa non ti piaceva fare, come passavi di solito la giornata, che cosa facevi durante il fine settimana, il tuo ricordo più bello.

8. *Pensando alla tua infanzia quali di questi sentimenti provi? Motiva le tue risposte.*

**nostalgia • malinconia • felicità • gioia
tenerezza • rimpianto • tristezza • solitudine**

crescere in una grande città o in campagna? tu da che parte stai?

9. Dividetevi in gruppi.

Il gruppo A è favorevole a crescere i bambini in una grande città.
Il gruppo B è favorevole a crescere i bambini in campagna.

Avete 10 minuti di tempo per discutere insieme ed elaborare una serie di pro e contro.
Ogni gruppo deve presentare e sostenere il proprio punto di vista.
La discussione è libera. Sedetevi in cerchio e intervenite liberamente.

Se necessario, potete chiedere aiuto all'insegnante.

Dal salumiere

per attivare il lessico

1. Guarda attentamente la foto per due minuti, cerca di memorizzare tutto quello che vedi e prendi appunti. Poi copri la foto e segna con una X se le seguenti affermazioni sono vere o false.

	vero	falso
1. Nella foto ci sono tre persone.	○	○
2. L'uomo in primo piano ha molti capelli.	○	○
3. L'uomo in primo piano ha la barba.	○	○
4. L'uomo in primo piano porta un grembiule bianco.	○	○
5. Ci sono diversi tipi di salumi.	○	○
6. Ci sono molte confezioni di uova.	○	○
7. Ci sono dei taglieri per tagliare.	○	○
8. C'è una grande varietà di frutta e verdura.	○	○
9. Alla parete sono appesi molti sacchetti di plastica.	○	○

Confronta le tue risposte con quelle di un compagno.
Ora guardate insieme la foto e correggete le risposte false.

2. Conosci questi alimenti? Riscrivili nello spazio appropriato.

latte • salame • bistecchine di maiale • bistecca di manzo • burro
mozzarella • prosciutto • coniglio • parmigiano • gorgonzola
mortadella • filetto • arrosto di vitello • pancetta • pecorino • formaggini
salsiccia • costine • spezzatino • pollo • sottilette • stracchino • macinata
yogurt • tacchino • ricotta

latticini e formaggi	salumi	carne

3. *Conosci le quantità?*
Riordina dal più piccolo al più grande:

• due etti e mezzo, cento grammi, un chilo, quattro etti, mezzo chilo.

....

• un litro di acqua, un quarto di vino, mezzo litro di latte.

....

4. *Scrivi a fianco di ciascuna illustrazione la definizione appropriata, scegliendola tra quelle elencate qui di seguito.*

una lattina di Coca-Cola • una bottiglia di acqua • un fiasco di vino
un vasetto di yogurt • un pacco di pasta • una scatoletta di tonno
un pacchetto di biscotti • una confezione di uova

1 ....

2 ....

3 ....

4 ....

5 ....

6 ....

7 ....

8 ....

negozi e negozianti

5. *Completa utilizzando le parole date in ordine sparso.*

> **rosticciere** • **pasticciere** • **lattaio** • **fornaio**
> **salumiere** • **macellaio** • **fruttivendolo**
>
> **pasticceria** • **negozio di frutta e verdura** • **macelleria**
> **forno** • **gastronomia** • **latteria** • **rosticceria**

Il .... vende la frutta e la verdura. Il suo negozio si chiama ....

Il .... vende i generi alimentari. Il suo negozio si chiama ....

Il .... vende la carne. Il suo negozio si chiama ....

Il .... vende il pane. Il suo negozio si chiama ....

Il .... vende i dolci. Il suo negozio si chiama ....

Il .... vende i latticini. Il suo negozio si chiama ....

Il .... vende i cibi già cotti e pronti. Il suo negozio si chiama ....

a proposito di cibo

6. *Che cosa vogliono realmente dire le espressioni indicate tra virgolette?*
Collega le espressioni della colonna A con le spiegazioni appropriate della colonna B.

A	B
"**Avere gli occhi foderati di prosciutto**" o "**avere le fette di salame sugli occhi**" *si dice per una persona che*	avere la carnagione molto pallida.
"**Essere un salame**" *viene detto quando una persona è*	non sente o non vuole sentire certe cose.
"**Avere le orecchie foderate di prosciutto**" *si dice per una persona che*	essere una persona molto buona.
"**Essere bianco come una mozzarella**" *significa*	essere molto dolce.
"**Essere buono come il pane**" *significa*	goffa e impacciata.
"**Essere dolce come il miele**" *significa*	non vede o non vuole vedere certe cose.

per parlare un po'

7. *Descrivi la foto. Le risposte dell'esercizio 2 e le domande seguenti possono aiutarti.*

- Chi vedi nella foto?
- Descrivi la persona in primo piano.
- Dov'è? Che cosa sta facendo?
- Descrivi tutto quello che vedi nella foto.

tocca a te! usa la fantasia

- Dai un altro titolo alla foto.
- Che cosa sta guardando il signore e perché?
- Chi ha fatto la foto e perché?
- Secondo te, all'uomo piace il suo lavoro?
- Da quanto tempo fa quel lavoro?
- Perché ha scelto di fare il salumiere?
- Immagina come è la sua giornata.

dal salumiere

8. *Inserisci nel dialogo le frasi che il negoziante dice al cliente.*

Negoziante: A chi tocca?

Cliente: ....

N.: Che cosa desidera?

C.: ....

N.: Quale?

C.: ....

N.: Va bene. Le serve altro?

C.: ....

N.: Ecco a lei. Vuole altro?

C.: ....

N.: 6 euro e 30.

C.: ....

N.: Ecco la sua spesa. Lo scontrino è nel sacchetto. Grazie e arrivederci.

- Vorrei un etto di prosciutto cotto.
- A me, grazie.
- Vorrei anche una mozzarella e sei uova.
- No, grazie, basta così. Quant'è?
- Quello a destra da 23 euro al chilo. Me lo può tagliare sottile?
- Ecco.

9. Role play.

 Immaginate un dialogo tra un cliente (studente A) che deve organizzare una cena con cinque amici e il negoziante (studente B).

idee a confronto curiosità

10. Leggi il testo che segue.

In molti negozi (soprattutto di generi alimentari), per evitare problemi su chi deve essere servito per primo, esiste il numero, o numeretto. Appena entri nel negozio devi prendere il numero così sai esattamente quando è il tuo turno. Se non c'è il numero e il negozio è molto affollato è bene chiedere: "Chi è l'ultimo?" così sai chi è l'ultima persona della coda.

Esiste un sistema simile anche nel tuo paese?
Ti sembra una buona idea?

Parla dei negozi di generi alimentari del tuo paese.

suggerimenti utili per l'insegnante

Unità 01 Questo è il mio piccolo mondo

esercizio 1
La foto non viene fatta vedere a tutta la classe, ma solo a metà degli studenti.
Cercare preferibilmente degli studenti a cui piaccia disegnare e assegnargli la parte dello studente B, cioè quello che non vede la foto ma fa la ricostruzione di essa dalla descrizione dello studente A.
Alla fine quando la ricostruzione è completata, dare anche allo studente B la foto e paragonarle.

gli animali domestici
La discussione è libera, gli studenti sono in cerchio e intervengono liberamente a seconda delle proprie capacità di inserirsi nella discussione. L'insegnante interviene solo se necessario.

Unità 04 Da Bulgari

idee a confronto
Si può chiedere agli studenti di fare una ricerca sul design o la moda italiana.

Unità 06 La giornalaia

per attivare il lessico
Si può chiedere agli studenti di ripetere una dopo l'altra le parole trovate. In questo modo ogni studente si trova a ripetere tutti i vocaboli.

tocca a te! usa la fantasia
Se gli studenti non hanno la possibilità di intervistare un giornalaio, in piccoli gruppi possono pensare agli aspetti positivi e negativi di quel lavoro. Poi insieme se ne discute.

Unità 08 Dammi qualcosa!

La foto ha in primo piano una zingara. Chi è stato in Italia, soprattutto nelle grandi città, ha visto sicuramente una scena simile a quella rappresentata nella foto. È importante però sapere se tutti gli studenti sanno chi sono gli zingari. Si potrebbe quindi proporre (il giorno prima di usare la foto in classe) di fare un piccola ricerca e informarsi su chi sono gli zingari, su come vivono e le varie problematiche ad essi relative.

per parlare un po'
La foto non viene fatta vedere a tutta la classe, ma solo a metà degli studenti.
Cercare preferibilmente degli studenti a cui piaccia disegnare e assegnargli la parte dello studente B, cioè quello che non vede la foto ma fa la ricostruzione di essa dalla descrizione dello studente A.
Alla fine quando la ricostruzione è completata, dare anche allo studente B la foto e paragonarle.

Unità 09 Il bacio

idee a confronto
Per ampliare l'argomento si potrebbe far sentire, se possibile, la canzone "Io ci sarò" degli 883 che parla dell'amore e può offrire interessanti spunti per una discussione.

Unità 10 Il matrimonio

convivenza o matrimonio? tu da che parte stai?
A questo proposito si potrebbe fare vedere il film "Casomai" di Alessandro D'Alatri.

Unità 12 Quanta acqua!

per attivare il lessico
Si può chiedere agli studenti di ripetere uno dopo l'altro le parole trovate. In questo modo ogni studente si trova a ripetere tutta la sequenza precedente.

chiavi degli esercizi

Esercizio 1

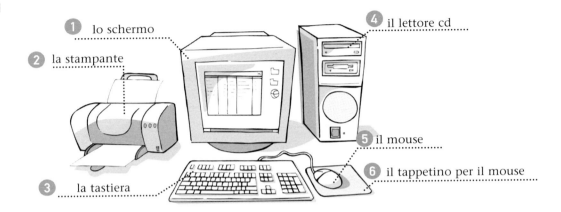

1 lo schermo
2 la stampante
3 la tastiera
4 il lettore cd
5 il mouse
6 il tappetino per il mouse

Esercizio 4

Scrivania: è un mobile, di solito con cassetti, destinato a lavori di ufficio o ad attività di studio o scrittura.

Mensola: è un ripiano orizzontale attaccato alla parete su cui si mettono libri e oggetti di vario genere.

Dispensa: è un fascicolo, un insieme di fogli che contiene appunti.

Unità 02 Tutti a tavola!

Esercizio 1

Piatto; sedia; spaghetti; grattugia; tovagliolo; frigorifero; quadro; tavolo; bicchiere; forchetta; bottiglia; tovaglia.

Esercizio 2

cibo	arredamento	sulla tavola apparecchiata
minestrone	sedia	piatto
spaghetti	lavastoviglie	cucchiaio
verdura	frigorifero	saliera
pane	fornello	coltello
parmigiano	lavello	grattugia
risotto	quadro	tovagliolo
carne	tavolo	oliera
frutta	forno	bicchiere
		forchetta
		bottiglia
		tovaglia

Esercizio 8

Si mette la tovaglia, un piatto piano e un piatto fondo.
A sinistra dei piatti la forchetta, a destra il coltello e il cucchiaio.
Davanti ai piatti le posate per la frutta e il dolce.
In alto a destra dei piatti i bicchieri, uno per l'acqua e uno,
più piccolo, per il vino.
Il tovagliolo va messo a sinistra del piatto.

Unità 03 Oggi scendiamo in piazza

Esercizio 2

Striscione: grande striscia di tela contenente annunci pubblicitari o di propaganda.

Manifestazione: dimostrazione di pubblico per esprimere approvazione o dissenso su problemi o avvenimenti di interesse generale.

Manifestare: riunirsi con altre persone in pubblico per esprimere la propria approvazione o più spesso il proprio dissenso riguardo ad avvenimenti o problemi che interessano la comunità.

Manifestante: chi partecipa a una manifestazione pubblica.

Cartellone: manifesto, spesso con scritte polemiche, innalzato dai dimostranti.

Protesta: dichiarazione della propria opposizione.

Protestare: proclamare apertamente la propria opposizione.

Corteo: insieme di persone che sfilano ordinatamente.

Sciopero: astensione collettiva dal lavoro da parte dei dipendenti per tutelare i propri interessi o per protestare.

Scioperare: fare sciopero, cioè non lavorare per protesta.

Unità 04 Da Bulgari

Esercizio 2

Gioiello: oggetto di ornamento in metallo prezioso lavorato, spesso con pietre preziose.

Gioielleria: negozio dove si espongono e vendono gioielli.

Gioielliere: chi vende i gioielli.

Esercizio 3

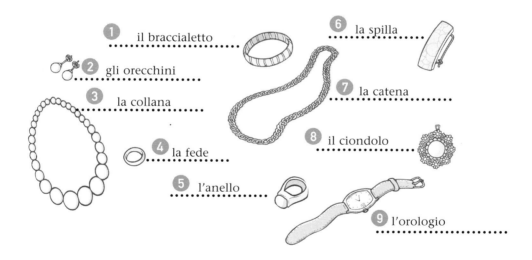

1. il braccialetto
2. gli orecchini
3. la collana
4. la fede
5. l'anello
6. la spilla
7. la catena
8. il ciondolo
9. l'orologio

Esercizio 4

Custodire qualcosa come un gioiello: si dice quando si ha molta cura di qualcosa.

Quel ... è un gioiello: si dice per qualcosa che è giudicato molto bello, perfetto e quindi prezioso. Significa che è un'opera pregevole.

È un gioiello di ...: si dice per esprimere il massimo della stima e dell'ammirazione per una persona.

Unità 05 **Oggi cucino io!**

Esercizio 2

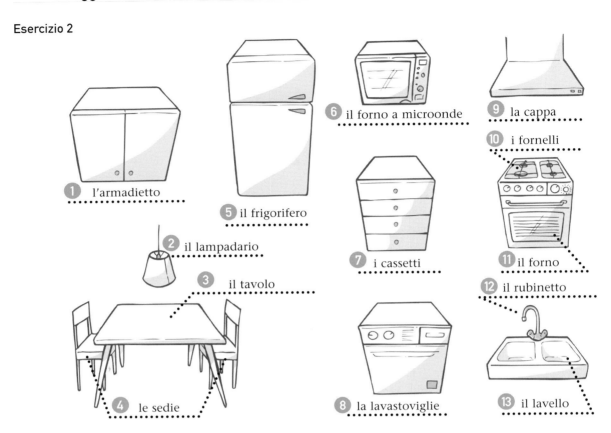

1 l'armadietto
2 il lampadario
3 il tavolo
4 le sedie
5 il frigorifero
6 il forno a microonde
7 i cassetti
8 la lavastoviglie
9 la cappa
10 i fornelli
11 il forno
12 il rubinetto
13 il lavello

Esercizio 3

1 il cavatappi
2 il coltello
3 l'insalatiera
4 la padella
5 il coperchio
6 la pentola
7 il vassoio
8 la ciotola
9 le posate
10 il matterello
11 il colino
12 il mestolo

Esercizio 4

① pelare ④ condire ⑦ aprire ⑩ friggere

② tagliare ⑤ scolare ⑧ grattugiare ⑪ bollire (o lessare)

③ affettare ⑥ sbucciare ⑨ versare ⑫ mescolare ⑬ cuocere nel forno

Esercizio 5

Il grembiule *si usa per* non sporcarsi.
Le presine *si usano per* non scottarsi le mani.
Il coltello *si usa per* tagliare.
La grattugia *si usa per* grattugiare il formaggio.
Il cavatappi *si usa per* togliere il tappo e aprire la bottiglia di vino.
La pentola a pressione *si usa per* cucinare più velocemente.
Lo scolapasta *si usa per* scolare l'acqua dalla pasta o dal riso.
Il coperchio *si usa per* coprire la pentola.
La caffettiera *si usa per* fare il caffè.
L'insalatiera *si usa per* condire e servire l'insalata.
La teiera *si usa per* fare il tè.

Esercizio 6

Cadere dalla padella nella brace *si dice quando* si passa da una situazione brutta a una peggiore.

Essere da raccogliere con il cucchiaio *si dice quando* una persona è provata fisicamente o emotivamente per una malattia o perché è molto stanca.

Avere il coltello dalla parte del manico *si dice quando* una persona è in una posizione vantaggiosa e può approfittarne.

Qualcosa bolle in pentola *si dice quando* qualcosa si può intuire ma non è ancora stato detto.

Unità 06 La giornalaia

Esercizio 2

Testata: è il nome di un giornale o un periodico, posto nella parte alta della prima pagina (insieme a prezzo, data, numero).
Quotidiano: sinonimo di giornale, esce tutti i giorni.
Periodico: pubblicazione (giornale, rivista, opuscolo) che esce a intervalli regolari.
Rivista: può essere settimanale, mensile, femminile, di cinema, ecc.
Giornale: pubblicazione quotidiana che riporta notizie e commenti su fatti di cronaca e avvenimenti politici, economici, sportivi, pubblicità e annunci di vario genere.
Locandina: detta anche "civetta", foglio che viene esposto nelle edicole e che presenta in caratteri vistosi gli argomenti trattati dal quotidiano.
Sfogliare: guardare velocemente i titoli, i sottotitoli, le foto.

Redattore: chi scrive o corregge gli articoli.

Cronista: giornalista che si occupa della cronaca.

Servizio: resoconto fatto da un giornalista con notizie raccolte di persona soprattutto quando si tratta di inchieste speciali.

Cronaca: notizie che si riferiscono a fatti del giorno.

Giornalaio: persona che vende i giornali.

Edicola: chiosco per la vendita di giornali, libri, riviste.

Esercizio 3

nel giornale	**in edicola**
titolo	rivista
sottotitolo	quotidiano
foto	periodico
pubblicità	CD
articoli di sport	videocassette
articoli di politica	fumetti
fumetti	giornalaio
servizi speciali	edicolante
articoli di cronaca	

Esercizio 4

C.: - Scusi, ha l'ultimo numero di *Casaviva*?

G.: - No, mi dispiace, non è ancora arrivato.

C.: - Ma di solito non esce il lunedì?

G.: - Sì, ma c'è stato uno sciopero e questa settimana esce con due giorni di ritardo.

C.: - Posso prenotarlo così sono sicura di non perderlo?

G.: - Certo!

Esercizio 7

cartoline	x
biglietti dell'autobus	x
sigarette	
caramelle	x *(in rari casi, soprattutto nelle edicole delle stazioni ferroviarie)*
riviste pornografiche	x
penne	
schede telefoniche	x
videocassette	x
cd	x
francobolli	

Unità 07 La nonna si fa bella

Esercizio 1

1. La foto è stata fatta in salotto.	F
2. La parrucchiera sta mettendo i bigodini.	V
3. L'uomo sta tagliando i capelli.	F
4. La televisione è accesa.	F
5. Il tavolo è vuoto.	F
6. Sul mobile c'è una pianta.	V
7. Nel pensile si vedono delle pentole.	F
8. Vicino al televisore c'è il telecomando.	V
9. La signora in primo piano porta gli occhiali.	V

Esercizio 2

verbi	qualità	colore
tagliare	lunghi	castani
lavare	corti	biondi
tingere	lisci	neri
spazzolare	crespi	rossi
pettinare	ricci	chiari
		scuri
		grigi
		bianchi

Esercizio 3

Avere un diavolo per capello: essere molto irritato, di pessimo umore.
Averne fin sopra i capelli: essere stufo di qualcosa.
Avere i capelli bianchi: si dice per persona che oltre ad essere anziana ha esperienza e saggezza.
Cose da far rizzare i capelli: cose agghiaccianti, orribili.
Far venire i capelli bianchi: quando qualcosa causa preoccupazioni e dispiaceri.
Mettersi le mani fra i capelli: quando la situazione è molto difficile.
Tirare per i capelli: costringere, obbligare.
Perdere i capelli: diventare calvo.
Non toccare nemmeno un capello: trattare umanamente, con mitezza.

Unità 08 Dammi qualcosa!

Esercizio 4

Per favore, sono povera, senza casa. Dormo per strada con 4 bambini piccoli.
Con una piccola offerta posso mangiare. Mille grazie.

Esercizio 5

Ieri pomeriggio una ragazzina di 14 anni è stata aggredita sull'autobus n.17 mentre tornava da scuola. Una zingara l'ha minacciata con un coltello e le ha rubato il portafoglio e il cellulare.
La nomade è riuscita a fuggire ma fortunatamente è stata fermata da dei passanti ed è stata arrestata dai poliziotti.
La giovane studentessa è rimasta molto turbata da questa brutta esperienza.

Esercizio 6

Invece di **zingara** nell'articolo hanno usato **nomade**.
Invece di **scappare** nell'articolo hanno usato **fuggire**.
Invece di **sconvolta, scioccata** nell'articolo hanno usato **turbata**.

Unità 09 Il bacio

Esercizio 4

Marta: Sai, ieri sera alla festa di Dario ho incontrato Stefano. Non lo vedevo da molto tempo e mi ha raccontato un sacco di novità.

Giovanna: Davvero? Dimmi!

M.: Mi ha detto che si è preso una bella cotta per una ragazza francese.

G.: Ma dai! Proprio lui che diceva che non si sarebbe mai innamorato di una straniera.

M.: Invece ha perso la testa per lei. È innamorato cotto.

G.: La conosce da molto tempo?

M.: No, è stato un colpo di fulmine. L'ha incontrata un mese fa durante una gita a Parigi. Si sono conosciuti in casa di amici ed è stato amore a prima vista.

G.: Non ci posso credere!

M.: Pensa che hanno deciso di andare a vivere insieme. Lei vorrebbe aspettare un po' prima di fidanzarsi ufficialmente, ma lui sta già per comprarle l'anello. Io gli ho detto che mi sembra pazzo. Tutto così in fretta! Secondo me deve essere più prudente. Ma lui mi ha risposto che al cuore non si comanda.

G.: Che bella storia! Gli auguro di cuore tanta felicità.

Esercizio 5

In questa foto ci sono due **ragazzi**.
Sono **seduti** su una panchina, sono abbracciati e si stanno baciando.
Sono in riva **al mare**.
Si vedono delle **barche** di pescatori e una piccola spiaggia di sabbia.
La giornata è bella: splende un bel sole anche se forse non fa molto caldo.

Unità 10 Il matrimonio

Esercizio 1

Sposare: prendere in moglie/marito.

Sposo: l'uomo che si sposa.

Sposa: la donna che si sposa.

Fotografo: la persona che fa le fotografie.

Matrimonio: rito nel quale un uomo e una donna diventano marito e moglie.

Testimoni: persone particolarmente care che testimoniano.

Partecipazioni: biglietti stampati che annunciano il matrimonio.

Confetti: piccoli dolci formati da una mandorla ricoperta di zucchero sempre presenti ai matrimoni.

Ricevimento: rinfresco, banchetto.

Bouquet: piccolo mazzo di fiori che la sposa tiene in mano.

Velo: tessuto molto leggero.

Abito da sposa: vestito che si indossa per il giorno del matrimonio, tradizionalmente lungo e bianco.

Fede: anello che gli sposi si scambiano il giorno del matrimonio, simbolo di reciproca fedeltà.

Viaggio di nozze: luna di miele, periodo di riposo dopo le fatiche del matrimonio.

Bomboniera: piccolo oggetto, di solito di ceramica o di argento, in cui si tengono i confetti, che gli sposi regalano agli invitati a ricordo del matrimonio.

Esercizio 2

Si deve:
fissare la data del matrimonio con parecchio anticipo;
richiedere i documenti all'anagrafe;
(se ci si sposa in chiesa) richiedere il certificato di battesimo e di cresima;
prenotare la chiesa;
spedire le partecipazioni;
organizzare il ricevimento;
scegliere l'abito, i testimoni, i fiori;
fare la lista dei regali.

Esercizio 3

Cara Caterina,
il matrimonio di Flavia e Giovanni è stato stupendo. La chiesa era bellissima, addobbata con fiori bianchi e gialli. C'erano molti invitati, tanti amici che già conoscevo ma anche molte persone venute da tutte le parti del mondo. Gli sposi erano raggianti di felicità. Flavia aveva un bellissimo abito bianco, lungo con un po' di strascico e in testa un delizioso velo. Sembrava una principessa ed era veramente felice.
Anche Giovanni era molto elegante.
La cerimonia è stata molto semplice e tutti erano molto emozionati. C'era una musica commovente e quando gli sposi si sono giurati fedeltà e si sono scambiati le fedi io mi sono commossa e ho pianto.
All'uscita dalla chiesa c'è stato il tradizionale lancio del riso e poi siamo andati a Villa Giulini dove avevano organizzato il ricevimento. Il pranzo è stato squisito ma (come sempre ai matrimoni!) troppo lungo: siamo stati a tavola fino alle sei! Per fortuna la giornata era splendida e ogni tanto potevo alzarmi e fare due passi nel magnifico parco.
Alla fine gli sposi sono passati a distribuirci le bomboniere e poi, stanchi ma felici, sono finalmente partiti per un lungo viaggio di nozze.
Appena le foto saranno pronte te le spedirò.

Un grosso abbraccio,
Livia

Unità 11 Al mercato

Esercizio 3

Mercato delle pulci: mercato in cui si vendono a basso prezzo oggetti usati di ogni genere.

A buon mercato: a poco prezzo, conveniente.

Mercato nero: clandestino, illecito.

Mercato rionale: mercatino tipico di un quartiere.

Mercato del pesce/dei fiori: mercato specializzato dove si possono trovare solo pesci o fiori ma in molte varietà.

Mercato galleggiante: su barche, in un fiume o canale.

Esercizio 4

Possono essere lunghi o corti: pantaloni

Di solito è di lana, con le maniche lunghe: maglione

Si portano ai piedi: scarpe

Si mette quando piove: impermeabile

Si usano per coprire le mani quando fa freddo, possono essere di lana o di pelle: guanti

Si mette intorno al collo: sciarpa

È un accessorio, si mette in vita, può essere di vari materiali: cintura

Si mette intorno al collo, è una parola francese: foulard

Si mette in testa: cappello

Serve quando si va in palestra: tuta da ginnastica

È simile a un maglione ma non è di lana: felpa

Un uomo non può mettere la cravatta se prima non l'ha messa: camicia

Esercizio 6

Cliente: Mi fa vedere quei pantaloni, per favore?

Venditore: Quali? Quelli a tinta unita o quelli a fantasia?

C.: Quelli a tinta unita.

V.: Che taglia porta?

C.: La 42. Posso provarli?

V.: No, mi dispiace. Al mercato non c'è il camerino. Se però non le vanno bene giovedì prossimo glieli cambio.

C.: Quanto costano?

V.: 40 euro.

C.: Sono un po' cari. Volevo spendere meno.

V.: Sì, sono un po' cari ma sono di puro cotone, ultimo modello, vedrà come le stanno bene!

C.: Va bene, li prendo e se non mi vanno bene ritorno giovedì prossimo.

V.: Sì, mi raccomando, non dimentichi di riportare lo scontrino.

Esercizio 7

La taglia è troppo piccola? È possibile allargarla?

La gonna è troppo stretta? Posso provare la taglia più grande?

Le maniche sono troppo corte? Si possono allungare?

I pantaloni sono troppo lunghi? Mi può fare l'orlo? Si possono accorciare?

Se ti piace quello che hai provato? Mi va bene, lo compro.

Unità 13 Al Re degli Amici

Esercizio 1

1. Il cameriere è vestito con una giacca nera e i pantaloni bianchi.   F
2. Il cameriere ha la cravatta.   V
3. Il cameriere è per la strada.   F
4. Il cameriere si appoggia con le due mani alla porta di ingresso.   F
5. Il ristorante si chiama "Re degli amici".   V
6. Si trova in una strada molto trafficata.   F
7. È al numero 35.   F
8. Non si vedono né macchine, né motorini, né passanti.   V
9. Fuori dal ristorante c'è il menu.   V
10. Vicino alla porta ci sono tre vasi di fiori.   F
11. Il cameriere sta guardando qualcosa.   V

Esercizio 2

Agli italiani la pasta piace cotta **al dente**.

L'acqua minerale può essere **naturale** o **frizzante**.

Una bistecca può essere **al sangue** o **ben cotta**.

Se il conto è eccessivamente alto si dice che è **salato**.

Esercizio 3

Conto: somma da pagare alla fine del pasto.

Pane e coperto: parte del conto per le spese dell'apparecchiatura e del pane.

Servizio: parte del conto per quello che il cameriere fa.

Mancia: somma di denaro che si ha l'abitudine di dare al cameriere per il buon servizio.

Esercizio 4

buono	cattivo
dolce	amaro
piccante	delicato
salato	insipido
ottimo	pessimo
squisito	disgustoso
cotto	crudo

Esercizio 6

Cameriere: Buonasera signori. Avete prenotato?
Mario: Sì, per due, alle otto.
C.: A che nome?
M.: Salviati.
C.: Bene, ecco il vostro tavolo. Questo è il menù.
Giovanna: Quanti piatti interessanti! Non so proprio che cosa scegliere.
M.: Per me è più facile, sono vegetariano e c'è meno scelta.
C.: Avete scelto? Volete ordinare?
G.: Che cosa ci consiglia? Qual è la vostra specialità?
C.: Non saprei, è tutto molto buono ma vi consiglio le linguine alle vongole veraci. Sono freschissime.
M.: Che cosa sono i pici infuocati con ricotta salata? C'è la carne?
C.: No, non c'è la carne. I pici sono un tipo di pasta. È un piatto molto piccante.
M.: Allora no. Prendo maltagliati con pesto ma senza gamberetti.
G.: Io invece prendo un antipasto e salto il primo: involtini di melanzane e spada.
C.: E per secondo?
M.: Io lo salto.
G.: Io prendo un filetto alla griglia. Mi raccomando però, lo vorrei ben cotto, non al sangue.
C.: Volete anche un contorno?
G.: Per me spinaci saltati.
M.: E per me un'insalatina e dei ceci.
C.: E da bere?

M.: Una bottiglia di acqua minerale.
C.: Frizzante o naturale?
M.: Naturale e mezzo litro di vino rosso della casa.

C.: Prendete un dolce?
G.: Che cosa c'è di buono?
C.: Vi porto il carrello così potete vedere. La panna cotta è la nostra specialità.
G.: Per me allora una panna cotta.
M.: Io prendo la macedonia con il gelato.
M.: Ci porta per favore due caffè e il conto.

Esercizio 7

Ricevuta

coperto (x2)	4,00
maltagliati pesto e gamberetti:	7,00
involtini di melanzane e spada	7,00
filetto alla griglia	15,00
spinaci	3,00
ceci	3,00
insalatina	3,00
dolce (x2)	8,00
caffè (x2)	3,00
acqua minerale	2,00
mezzo litro di vino	5,00
TOTALE EURO	**60,00**

Unità 14 **Alt! Passa l'autobus**

Esercizio 2

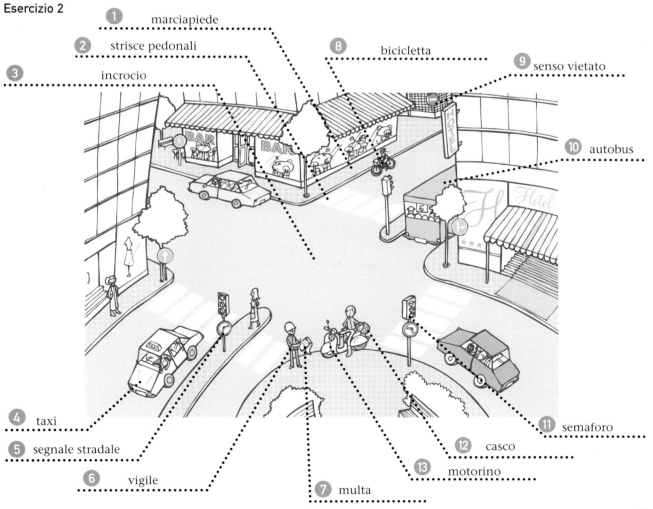

1 marciapiede
2 strisce pedonali
3 incrocio
8 bicicletta
9 senso vietato
10 autobus
4 taxi
5 segnale stradale
6 vigile
7 multa
11 semaforo
12 casco
13 motorino

Esercizio 3

A: Scusi, mi sa dire dov'è la fermata del 17?
B: Certo, è qui a due passi. Giri a destra, è proprio all'angolo.
A: Per favore, mi potrebbe dire dove posso comprare il biglietto per l'autobus?
B: All'edicola qui di fronte.
A: Scusi, è già passato il 12?
B: No, non ancora. Lo sto aspettando anch'io.
A: Per favore, mi sa dire a che ora passa il 23?
B: Alle 11 e 45.

Esercizio 4

Appena salgo sull'autobus timbro il biglietto.

Suono il campanello per prenotare la fermata.

Mi siedo dove c'è un posto libero.

"Questo autobus ferma in Piazza del Duomo?" "Sì, certo!"

"A quale fermata devo scendere?" "Fra due fermate."

"Quanto tempo ci vuole per andare alla stazione?" "Se non c'è traffico ci vogliono 10 minuti."

Unità 15 Bambina sola

Esercizio 4

In questa foto in primo piano c'è una bambina seduta da sola sul marciapiede per la strada. Ha la testa appoggiata alla mano. Sta guardando qualcosa.
Dietro di lei c'è un portone di legno, chiuso.
La foto è stata scattata in una città vecchia, probabilmente nel centro storico.

Unità 16 Dal salumiere

Esercizio 1

1.	Nella foto ci sono tre persone.	F
2.	L'uomo in primo piano ha molti capelli.	F
3.	L'uomo in primo piano ha la barba.	F
4.	L'uomo in primo piano porta un grembiule bianco.	V
5.	Ci sono diversi tipi di salumi.	V
6.	Ci sono molte confezioni di uova.	V
7.	Ci sono dei taglieri per tagliare.	V
8.	C'è una grande varietà di frutta e verdura.	F
9.	Alla parete sono appesi molti sacchetti di plastica.	V

Esercizio 2

latticini e formaggi	salumi	carne
latte	salame	bistecchine di maiale
burro	prosciutto	bistecca di manzo
mozzarella	mortadella	coniglio
parmigiano	pancetta	filetto
gorgonzola	salsiccia	arrosto di vitello
pecorino		costine
formaggini		macinata
sottilette		spezzatino
stracchino		pollo
yogurt		tacchino
ricotta		

Esercizio 3

Cento grammi, due etti e mezzo, quattro etti, mezzo chilo, un chilo.
Un quarto di vino, mezzo litro di latte, un litro di acqua.

Esercizio 4

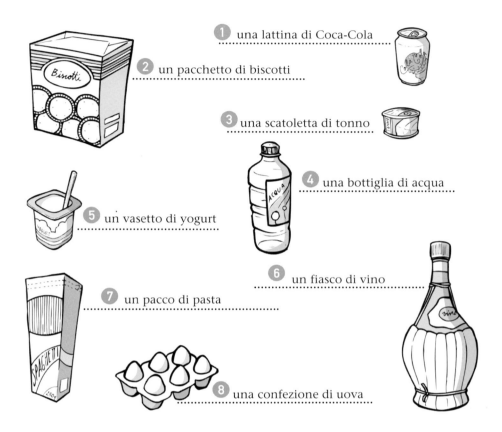

1. una lattina di Coca-Cola
2. un pacchetto di biscotti
3. una scatoletta di tonno
4. una bottiglia di acqua
5. un vasetto di yogurt
6. un fiasco di vino
7. un pacco di pasta
8. una confezione di uova

Esercizio 5

Il **fruttivendolo** vende la frutta e la verdura. Il suo negozio si chiama **negozio di frutta e verdura**.
Il **salumiere** vende i generi alimentari. Il suo negozio si chiama **gastronomia**.
Il **macellaio** vende la carne. Il suo negozio si chiama **macelleria**.
Il **fornaio** vende il pane. Il suo negozio si chiama **forno**.
Il **pasticciere** vende i dolci. Il suo negozio si chiama **pasticceria**.
Il **lattaio** vende i latticini. Il suo negozio si chiama **latteria**.
Il **rosticciere** vende i cibi già cotti e pronti. Il suo negozio si chiama **rosticceria**.

Esercizio 6

"**Avere gli occhi foderati di prosciutto**" o "**avere le fette di salame sugli occhi**" *si dice per una persona che* non vede o non vuole vedere certe cose.
"**Essere un salame**" *viene detto quando una persona è* goffa e impacciata.
"**Avere le orecchie foderate di prosciutto**" *si dice per una persona che* non sente o non vuole sentire certe cose.
"**Essere bianco come una mozzarella**" *significa* avere la carnagione molto pallida.
"**Essere buono come il pane**" *significa* essere una persona molto buona.
"**Essere dolce come il miele**" *significa* essere molto dolce.

Esercizio 8

Negoziante: A chi tocca?

Cliente: A me, grazie.

N.: Che cosa desidera?

C.: Vorrei un etto di prosciutto cotto.

N.: Quale?

C.: Quello a destra da 23 euro al chilo. Me lo può tagliare sottile?

N.: Va bene. Le serve altro?

C.: Vorrei anche una mozzarella e sei uova.

N.: Ecco a lei. Vuole altro?

C.: No, grazie, basta così. Quant'è?

N.: 6 euro e 30.

C.: Ecco.

N.: Ecco la sua spesa. Lo scontrino è nel sacchetto. Grazie e arrivederci.

L'italiano per stranieri

Amato
Mondo italiano
testi autentici sulla realtà sociale e culturale italiana
• libro dello studente
• quaderno degli esercizi

Ambroso e Di Giovanni
L'ABC dei piccoli

Ambroso e Stefancich
Parole
10 percorsi nel lessico italiano - esercizi guidati

Avitabile
Italian for the English-speaking

Balboni
GrammaGiochi
per giocare con la grammatica

Barki e Diadori
Pro e contro
conversare e argomentare in italiano
• **1** livello intermedio - libro dello studente
• **2** livello intermedio-avanzato - libro dello studente
• guida per l'insegnante

Barreca, Cogliandro e Murgia
Palestra italiana
esercizi di grammatica
livello elementare/pre-intermedio

Battaglia
Grammatica italiana per stranieri

Battaglia
Gramática italiana para estudiantes de habla española

Battaglia
Leggiamo e conversiamo
letture italiane con esercizi per la conversazione

Battaglia e Varsi
Parole e immagini
corso elementare di lingua italiana per principianti

Bettoni e Vicentini
Passeggiate italiane
lezioni di italiano - livello avanzato

Blok-Boas, Materassi e Vedder
Letture in corso
corso di lettura di italiano
• **1** livello elementare e intermedio
• **2** livello avanzato e accademico

Buttaroni
Letteratura al naturale
autori italiani contemporanei
con attività di analisi linguistica

Camalich e Temperini
Un mare di parole
letture ed esercizi di lessico italiano

Carresi, Chiarenza e Frollano
L'italiano all'Opera
attività linguistiche attraverso 15 arie famose

Chiappini e De Filippo
Un giorno in Italia *1*
corso di italiano per stranieri
principianti · elementare · intermedio
• libro dello studente con esercizi + cd audio
• libro dello studente con esercizi (senza cd audio)
• guida per l'insegnante + test di verifica
• glossario in 4 lingue + chiavi degli esercizi

Chiappini e De Filippo
Un giorno in Italia *2*
corso di italiano per stranieri
intermedio · avanzato
• libro dello studente con esercizi + cd audio
• libro dello studente con esercizi (senza cd audio)
• guida per l'insegnante + test di verifica + chiavi

Cini
Strategie di scrittura
quaderno di scrittura - livello intermedio

Deon, Francini e Talamo
Amor di Roma
Roma nella letteratura italiana del Novecento
testi con attività di comprensione
livello intermedio-avanzato

Diadori
Senza parole
100 gesti degli italiani

du Bessé
PerCORSO GUIDAto - *guida di* **Roma**
con attività ed esercizi

du Bessé
PerCORSO GUIDAto - *guida di* **Firenze**
con attività ed esercizi

du Bessé
PerCORSO GUIDAto - *guida di* **Venezia**
con attività ed esercizi

Gruppo CSC
Buon appetito!
tra lingua italiana e cucina regionale

Gruppo META
Uno
corso comunicativo di italiano - primo livello
• libro dello studente
• libro degli esercizi e grammatica
• guida per l'insegnante
• 2 audiocassette / libro studente
• 1 audiocassetta / libro esercizi

Gruppo META
Due
corso comunicativo di italiano - secondo livello
• libro dello studente
• libro degli esercizi e grammatica
• guida per l'insegnante
• 3 audiocassette / libro studente
• 1 audiocassetta / libro esercizi

Gruppo NAVILE
Dire, fare, capire
l'italiano come seconda lingua
• libro dello studente
• guida per l'insegnante
• 1 cd audio

Humphris, Luzi Catizone, Urbani
Comunicare meglio
corso di italiano - livello intermedio-avanzato
• manuale per l'allievo
• manuale per l'insegnante
• 4 audiocassette

Istruzioni per l'uso dell'italiano in classe 1
88 suggerimenti didattici per attività comunicative

Istruzioni per l'uso dell'italiano in classe 2
111 suggerimenti didattici per attività comunicative

Istruzioni per l'uso dell'italiano in classe 3
22 giochi da tavolo

Jones e Marmini
Comunicando s'impara
esperienze comunicative
• libro dello studente
• libro dell'insegnante

Maffei e Spagnesi
Ascoltami!
22 situazioni comunicative
• manuale di lavoro
• 2 audiocassette

Marmini e Vicentini
Passeggiate italiane
lezioni di italiano - livello intermedio

Marmini e Vicentini
Ascoltare dal vivo
materiale di ascolto - livello intermedio
• quaderno dello studente
• libro dell'insegnante
• 3 cd audio

Paganini
issimo
quaderno di scrittura - livello avanzato

Pontesilli
Verbi italiani
modelli di coniugazione

Quaderno IT - n. 4
esame per la certificazione dell'italiano come L2
livello avanzato - prove del 2000 e del 2001
• volume + audiocassetta

Quaderno IT - n. 5
esame per la certificazione dell'italiano come L2
livello avanzato - prove del 2002 e del 2003
• volume + cd audio

Radicchi
Corso di lingua italiana
livello intermedio

Radicchi
In Italia
modi di dire ed espressioni idiomatiche

Stefancich
Cose d'Italia
tra lingua e cultura

Stefancich
Tracce di animali
nella lingua italiana tra lingua e cultura

Svolacchia e Kaunzner
Suoni, accento e intonazione
corso di ascolto e pronuncia
• manuale
• set 5 cd audio

Tettamanti e Talini
Foto parlanti
immagini, lingua e cultura

Totaro e Zanardi
Quintetto italiano
approccio tematico multimediale - livello avanzato
• libro dello studente con esercizi
• libro per l'insegnante
• 2 audiocassette
• 1 videocassetta

Ulisse
Faccia a faccia
attività comunicative - livello elementare-intermedio

Urbani
Le forme del verbo italiano

Urbani
Senta, scusi...
programma di comprensione auditiva
con spunti di produzione libera orale
• manuale di lavoro
• 1 audiocassetta

Verri Menzel
La bottega dell'italiano
antologia di scrittori italiani del Novecento

Vicentini e Zanardi
Tanto per parlare
materiale per la conversazione
livello medio-avanzato
• libro dello studente
• libro dell'insegnante

Linguaggi settoriali

Ballarin e Begotti
Destinazione Italia
l'italiano per operatori turistici
• manuale di lavoro
• 1 audiocassetta

Cherubini
L'italiano per gli affari
corso comunicativo di lingua e cultura aziendale
• manuale di lavoro
• 1 audiocassetta

Spagnesi
**Dizionario dell'economia
e della finanza**

Dica 33
il linguaggio della medicina
• libro dello studente
• guida per l'insegnante
• 1 audiocassetta

L'arte del costruire
• libro dello studente
• guida per l'insegnante

Una lingua in pretura
il linguaggio del diritto
• libro dello studente
• guida per l'insegnante
• 1 cd audio

Pubblicazioni di glottodidattica

Gabriele Pallotti - A.I.P.I. Associazione Interculturale Polo Interetnico
Imparare e insegnare l'italiano come seconda lingua
• DVD + libro

Progetto ITALS

**La formazione di base del docente
di italiano per stranieri**
a cura di Dolci e Celentin

L'italiano nel mondo
a cura di Balboni e Santipolo

**Cedils.
Certificazione in didattica
dell'italiano a stranieri**
a cura di Serragiotto

I libri dell'Arco

1. Balboni • **Didattica dell'italiano a stranieri**

2. Diadori • **L'italiano televisivo**

3. Micheli • **Test d'ingresso di italiano
    per stranieri**

4. Benucci • **La grammatica nell'insegnamento
    dell'italiano a stranieri**

5. AA.VV. • **Curricolo d'italiano per stranieri**

6. Coveri, Benucci e Diadori • **Le varietà dell'italiano**

Classici italiani per stranieri

testi con parafrasi a fronte* e note

1. Leopardi • *Poesie**
2. Boccaccio • *Cinque novelle**
3. Machiavelli • *Il principe**
4. Foscolo • *Sepolcri e sonetti**
5. Pirandello • *Così è (se vi pare)*
6. D'Annunzio • *Poesie**
7. D'Annunzio • *Novelle*
8. Verga • *Novelle*

9. Pascoli • *Poesie**
10. Manzoni • *Inni, odi e cori**
11. Petrarca • *Poesie**
12. Dante • *Inferno**
13. Dante • *Purgatorio**
14. Dante • *Paradiso**
15. Goldoni • *La locandiera*
16. Svevo • *Una burla riuscita*

Libretti d'Opera per stranieri

testi con parafrasi a fronte* e note

1. *La Traviata**
2. *Cavalleria rusticana**
3. *Rigoletto**
4. *La Bohème**
5. *Il barbiere di Siviglia**

6. *Tosca**
7. *Le nozze di Figaro*
8. *Don Giovanni*
9. *Così fan tutte*
10. *Otello**

Letture italiane per stranieri

1. Marretta
Pronto, commissario...? 1
16 racconti gialli con soluzione
ed esercizi per la comprensione del testo

2. Marretta
Pronto, commissario...? 2
16 racconti gialli con soluzione
ed esercizi per la comprensione del testo

3. Marretta
Elementare, commissario!
8 racconti gialli con soluzione
ed esercizi per la comprensione del testo

Mosaico italiano

1. Santoni
La straniera (liv. 2/4)
2. Nabboli
Una spiaggia rischiosa (liv. 1/4)
3. Nencini
Giallo a Cortina (liv. 2/4)
4. Nencini
Il mistero del quadro... (liv. 3/4)
5. Santoni
Primavera a Roma (liv. 1/4)
6. Castellazzo
Premio letterario (liv. 4/4)

7. Andres
Due estati a Siena (liv. 3/4)
8. Nabboli
Due storie (liv. 1/4)
9. Santoni
Ferie pericolose (liv. 3/4)
10. Andres
Margherita e gli altri (liv. 2-3/4)
11. Medaglia
Il mondo di Giulietta (liv. 2/4)
12. Caburlotto
Hacker per caso (liv. 4/4)

Bonacci editore

Finito di stampare nel mese di aprile 2005 dalla Tibergraph s.r.l. Città di Castello (PG)